Bianca

ÉRASE UNA VEZ... EL AMOR

Maisey Yates

HARLEQUIN™

Editado por Harlequin Ibérica.
Una división de HarperCollins Ibérica, S.A.
Núñez de Balboa, 56
28001 Madrid

© 2017 Maisey Yates
© 2019 Harlequin Ibérica, una división de HarperCollins Ibérica, S.A.
Érase una vez... el amor, n.º 151 - 11.4.19
Título original: The Italian's Pregnant Prisoner
Publicada originalmente por Harlequin Enterprises, Ltd.

I.S.B.N.: 978-84-1307-750-5
Depósito legal: M-5552-2019
Impresión en CPI (Barcelona)
Fecha impresion para Argentina: 8.10.19
Distribuidor exclusivo para España: LOGISTA
Distribuidor para México: Distibuidora Intermex, S.A. de C.V.
Distribuidores para Argentina: Interior, DGP, S.A. Alvarado 2118.
Cap. Fed./Buenos Aires y Gran Buenos Aires, VACCARO HNOS.

MIXTO
Papel procedente de fuentes responsables
FSC® C108412
www.fsc.org

Este libro ha sido impreso con papel procedente de fuentes certificadas según el estándar FSC, para asegurar una gestión responsable de los bosques.

Capítulo 1

ÉRASE una vez…
«Suéltate el cabello…».
A Charlotte Adair, el corazón le latía con tanta fuerza que estaba segura de que la persona que había a su lado lo oiría. Y temblaba. Temblaba y luchaba contra la avalancha de recuerdos y emociones que amenazaba con poner en peligro su capacidad de pensar con claridad.

Aunque cabía sostener que el hecho de encontrarse allí demostraba que carecía de la capacidad de hacerlo.

Había escapado. Llevaba cinco años de libertad.

Pero le quedaba un asunto pendiente: Rafe.

Siempre sería un asunto pendiente, sin posibilidad de solución. Pero podía volver a verlo una vez más.

Y, al menos, él no la veía.

El dolor le quemaba el pecho y tenía el estómago encogido. Que él la hubiera abandonado le había hecho un daño inconmensurable, pero eso no implicaba que la idea de que un hombre tan poderoso hubiera quedado lesionado de esa manera no le resultara dolorosa.

Claro que cualquier pensamiento sobre Rafe le resultaba doloroso.

Y, mientras seguía en un rincón oscuro de la antecámara que conducía al salón de baile, le empezaron a sudar las manos y a apretarle de tal manera el vestido rojo que llevaba que apenas podía respirar.

No podía seguir reprimiendo los recuerdos…

—Suéltate el cabello.

—Sabes que no me está permitido —dijo Charlotte, con los nervios de punta. Todo su ser le exigía que obedeciera su sencilla orden sin tener en cuenta las consecuencias.

Que era básicamente la misma exigencia que se había hecho a sí misma cuando lo había visto por primera vez.

Lo deseaba. No sabía lo que eso había significado al principio, solo que quería estar cerca de él. Siempre.

—Entiendo. ¿Y cuáles son las reglas para los hombres que están en tu habitación?

Ella se sonrojó.

—Bueno, me imagino que a mi padre no le haría mucha gracia, aunque no me lo ha prohibido expresamente. Supongo que debo darlo por sentado.

Rafe sonrió y ella sintió el impacto en todo su cuerpo. Era el hombre más guapo que había visto en su vida. Eso era lo primero que había pensado cuando había empezado a trabajar para su padre, dos años antes.

No estaba completamente segura de las circunstancias, solo de que era una especie de aprendiz, lo que la hacía temblar, ya que, aunque se le ocultaban las circunstancias del negocio de su padre, no era estúpida. Era cierto que llevaba una vida retirada en la villa de su padre en Italia, a la que había llegado, cuando era una niña, de Estados Unidos, donde había nacido. Pero su aislamiento le había dado la oportunidad de aprender a obtener información observando en silencio.

Hacía muchos años que Charlotte se había convertido en parte del mobiliario de la villa y, en consecuencia, la infravaloraban.

Pero le gustaba ser invisible.

Sin embargo, Rafe había aparecido y no le había permitido seguir siendo invisible. La había visto desde el primer momento. Ella tenía dieciséis años cuando se había fijado en él, cuando había estado segura de que se le iba a salir el corazón por la boca. No solo porque fuera muy guapo, aunque ciertamente lo era. Tenía algo más de veinte años, era ancho de espaldas, tenía una mandíbula tan cuadrada que ella pensó que se cortaría el dedo con ella y unos ojos oscuros en los que deseaba perderse con todas sus fuerzas.

Era muy alto, y a ella le daba la impresión de que, si se le acercara y se situara frente a él, solo le llegaría a la mitad del pecho, que, estaba segura, sería sólido, fuerte y perfecto para apoyarse en él.

En efecto, su obsesión había comenzado desde el primer momento y no había disminuido. Aparentemente, a Rafe le había sucedido lo mismo y había tratado de prevenirla para que se alejara de él. Pero ella había insistido. Se había puesto en ridículo siguiéndolo a todas partes. No obstante, había funcionado. Al final, él había dejado de decirle que lo dejara en paz y habían comenzado a forjar una amistad.

Pero los amigos no tenían que salir a hurtadillas ni esperar a que la casa estuviera a oscuras y todos dormidos para verse en las cuadras, ni pasar unos momentos a la luz del día en uno de los campos más alejados de la casa.

De todos modos, sus relaciones siempre habían sido castas.

Hasta que una tarde, cuando se hallaban en un rincón del granero, y él le había dicho que era hora de que volviera a su puesto, a ella le había entrado una extraña desesperación que no entendía y contra la que no podía luchar.

Le había acariciado el rostro con la punta de los dedos y él le había agarrado la muñeca con fuerza mientras los ojos le brillaban como nunca ella se los había visto brillar.

Antes de que pudiera protestar, antes de que pudiera plantearse nada, la boca de él había reclamado la suya y se había apoderado de ella.

A ella nunca la habían besado. Ni siquiera había pensado mucho en ello. Pero besar a Rafe había sido como tocar la superficie del sol. Casi insoportable.

Muy caliente, muy luminoso, excesivo.

Y demasiado corto.

Esa noche, él había trepado por el emparrado para

entrar en su habitación, la habitación de la torre, que se hallaba por encima de las restantes, separada de todos, como estaba siempre ella. Nadie iba a su habitación.

Pero él lo había hecho y le había regalado un beso. Y luego otro.

Había subido a su habitación todas las noches de las dos semanas anteriores. Los besos que se daban se habían vuelto más largos y profundos. Se desnudaban y se quedaban tumbados, juntos, en la cama, intercambiando arrumacos que a ella la hubieran sorprendido antes de conocerlo.

Con Rafe, todo aquello le parecía bien. Le había pedido más, que tomase su virginidad. Pero él, de momento, se limitaba a darle placer, sin llevar las cosas más allá.

A ella le parecía bien esperar. Pero esa noche tenía un peso en el estómago y supo que debía contarle la conversación que había tenido con su madrastra ese día.

Su padre no solía hablar con ella, o no lo hacía nunca. La mayor parte de la información relevante se la transmitía Josefina, su madrastra, que era la persona más dura y suspicaz que conocía.

Lo cual era toda una hazaña, teniendo en cuenta que Charlotte vivía rodeada de criminales.

Ese día, Josefina le había dicho a su hijastra que el propósito de su padre con respecto a ella estaba a punto de cumplirse. Había encontrado a otro cerebro criminal, en un lugar de Italia que Charlotte no conocía, que buscaba esposa. Era una alianza que su padre quería consolidar con su propia descendencia, una unión dinástica, para la que podía utilizar a la hija que nunca había deseado tener.

Josefina parecía muy contenta de librarse de su hijastra, de la que siempre había estado celosa. Eran unos celos que Charlotte no comprendía, dado que era una prisionera en casa de su padre. Pero Josefina había sido una niña pobre del pueblo cercano al lugar donde su padre se había construido la mansión y no había reparado en medios para dejar atrás la pobreza y convertirse en la amante de Michael Adair, primero, y después en su esposa. No estaba tranquila con su triunfo, y Charlotte creía que, en secreto, temía perder su elevada posición, lo que la volvía despiadada.

Lo había parecido, ciertamente, al contarle a Charlotte su inminente destino marital.

Vagamente, Charlotte siempre había creído que su vida acabaría así, porque su padre no era más que un señor feudal, dueño de su fortaleza y de todos los que dependían de él. Y cabía imaginar que quisiera consolidar su poder en el mundo criminal mediante matrimonios, como un rey que ofreciera a sus familiares para evitar una guerra; o para declararla, dependiendo de las circunstancias.

Pero, aunque ella sabía que era una posibilidad, se había esforzado en no pensar en ello. Y ahora estaba Rafe.

Rafe, con el que el amor y el sexo habían pasado de ser algo teórico a algo que ella deseaba, que anhelaba, aunque no en general, sino con él.

La idea de compartir su cuerpo con otro le resultaba insoportable. Su necesidad de Rafe, de sus caricias y sus besos era algo muy íntimo y profundo que iba más allá de lo meramente físico.

Él era su corazón.

–Sí –dijo él–. Supongo que eso es lo que dice la ley, o al menos es su espíritu –sus ojos oscuros brillaron con un fuego que la quemó–. Me gustaría que incumplieras algunas normas. Sé que tu cabello está considerado uno de tus mayores atractivos. No te lo puedes cortar, ¿verdad?

Charlotte se tocó el pesado moño.

–Me puedo cortar las puntas, pero, en efecto, mi padre lo considera parte de mi belleza –y la importancia de su belleza se había vuelto evidente con el trato al que había llegado su padre para casarla.

–Es escalofriante.

Ella se obligó a reírse.

–Tú trabajas para él, y aquí estás.

–Trabajaré para él solo hasta haber pagado mi deuda. No le soy leal en absoluto, puedes estar segura.

Era la primera vez que Rafe le decía algo así.

–No lo sabía.

–Tengo prohibido hablar de ello. Pero también estoy seguro de tener prohibido estar aquí y de acariciarte así –le puso la mano en la mejilla y la besó–. Suéltate el pelo –susurró con los labios pegados a los de ella.

Esa vez, lo obedeció. Y lo hizo por él, solo por él.

Charlotte volvió al presente con el corazón desbocado, como lo estaba en el recuerdo. Solo dos semanas después, todo se había venido abajo y ella se había quedado destrozada, herida sin remedio.

Cuando Josefina le dijo que Rafe se había ido, que no la deseaba y que ella no tenía más remedio que casarse con Stefan. Charlotte protestó, hasta tal punto que la encerraron. Fue entonces cuando se dio cuenta de la verdadera naturaleza de su padre. No la quería. La mataría si no se casaba con el hombre al que había elegido para ella. Eso le había dicho. Y Charlotte lo había creído.

No estaba dispuesta a aceptar su destino porque, si había aprendido algo al estar con Rafe, era que había algo más en la vida que la villa o su dormitorio en la torre. Más en la intimidad con un hombre que una simple transacción.

Y ella quería esas cosas. Todas ellas.

Así que, cuando su padre pagó a sus hombres para que la llevaran a su destino y estos se detuvieron en una gasolinera en medio de la nada, aprovechó la ocasión.

Huyó y se internó corriendo en el bosque con la certeza de que no la buscarían allí. Y tenía razón. Lo hicieron en las autopistas, tal vez deteniendo algún coche, y preguntando a varios dueños de tiendas.

Obviamente, no esperaban que ella, la princesa mimada del imperio de la familia Adair, se arriesgara a adentrarse en un bosque lleno de lobos y zorros.

Pero lo hizo.

Al final, encontró cierta seguridad viviendo en la Alemania rural, trasladándose de un lado a otro, sin detenerse mucho tiempo en el mismo sitio y trabajando en empleos sencillos en tiendas y granjas, a lo largo de los años.

Había llevado una vida solitaria, pero, en muchos sentidos, libre.

Tardó varios años en volver a ver a Rafe. Y fue en la portada de un periódico que explicaba la historia de un hombre que había llegado a lo más alto desde la nada, desde un suburbio italiano a convertirse en una de las personas más ricas del mundo.

Un hombre ciego, herido en un accidente del que se negaba a hablar.

Después, ella lo siguió viendo con frecuencia en las portadas de los periódicos. Pero seguía sin resultarle fácil y siempre era igual de doloroso. Sufría por él, por lo que podía haber habido entre ellos si él la hubiera querido verdaderamente como ella creía que lo había hecho. Por el accidente en que había perdido la vista.

No pensaba en sus miles de millones, aunque solo fuera porque nunca había dudado de que Rafe superaría sus circunstancias de forma espectacular. Era un hombre singular. No había otro que pudiera comparársele ni lo habría nunca.

Por eso, cuando ella se enteró de la muerte de su propio padre y de que había una invitación a nombre de Rafe para acudir al funeral y de que iría, decidió arriesgarse.

Si su padre ya no estaba, nadie la buscaría. Y dudaba mucho que alguno de sus hombres la reconociera. Ya no era una chica de dieciocho años.

Y en cuanto a Rafe, no la vería, del mismo modo que no volvería a ver nada.

Pero ella sí lo veía. Tenía que hacerlo, dejar atrás esa parte de su vida para poder seguir adelante. Su época de aislamiento había acabado y él formaba parte de ella.

Se había acabado lo de esconderse, pero debía vencer algunos fantasmas.

Respiró hondo y salió a la luz desde las sombras. Con sinceridad, podría decir que era la primera vez que lo hacía en cinco años. Por primera vez en ese tiempo, no se escondía.

Notó que la gente se volvía a mirarla y que la seguía mientras cruzaba el salón de baile. Pero le daba igual. No estaba allí para que la admiraran, sino por él.

Se había vestido elegantemente para él, aunque fuera una estupidez, ya que no la veía ni ella quería que lo hiciera.

No tardó en divisarlo. Atrajo su mirada como un imán. Estaba casi en mitad del salón, de pie, hablando con un grupo de hombres trajeados. Era el más alto y el más guapo. Siempre había sido el hombre más guapo que había conocido. Y lo seguía siendo. A los treinta años, era más maduro que a los veinticinco. Había ganado peso y tenía el rostro más cincelado. Una barba incipiente le cubría la mandíbula y ella se preguntó qué sentiría al acariciársela.

No había vuelto a acariciar a un hombre. No le había interesado.

Debía buscar algo que le interesara, ya que iba a llevar una vida normal. Después de reclamar la herencia que sabía que seguía teniendo en un fideicomiso en un banco de Londres, iba a comenzar a vivir de verdad.

Tal vez estudiaría o abriría una tienda, ya que le había gustado trabajar en ellas durante aquellos cinco años. Le gustaba no estar sola.

Hiciera lo que hiciera, sería lo que ella decidiera. Eso era lo importante.

No sabía qué respuestas esperaba hallar allí. En aquel momento, la única respuesta clara era que su cuerpo y su corazón seguían reaccionando ante él.

Él se disculpó ante el grupo y, de repente, se dirigió hacia ella, que se quedó paralizada como un ciervo deslumbrado por los faros de un coche; o, más bien, como una mujer mirando a Rafe Costa.

No era la única que lo miraba. Se movía con gracia y fluidez y, de no haberlo sabido, ella no se hubiera percatado de que no veía.

Se estaba acercando. Le dio un vuelco el corazón y comenzaron a temblarle las manos. Deseó poder acariciarlo.

En ese momento lo deseaba más que nada, lo necesitaba más que el aire que respiraba. Deseaba volver a acariciar el rostro de Rafe Costa, volver a besarle en los labios, ponerle la mano en el pecho y comprobar si todavía conseguía que se le acelerara el corazón.

Era fácil olvidar que su madrastra le había dicho que Rafe se había marchado porque su padre le había ofrecido un incentivo para que dejara antes su puesto allí. No había pensado en ella al irse ni había cumplido las promesas que le había hecho.

Sí, era fácil olvidar todo aquello y recordar, en su lugar, cómo se sentía cuando la besaba o la acariciaba, que ella le había rogado que usara algo más que las manos y la boca entre sus muslos, que tomara su virginidad y la hiciera suya por completo.

Pero él no lo había hecho.

Por honor y para protegerla.

Claro que, en realidad, nunca la había deseado lo bastante para correr riesgo alguno. Se había limitado a jugar con ella.

Eso era lo que debería recordar. Su cuerpo traidor debería recordarlo, pero no lo hacía, sino que revoloteaba como si hubieran soltado en su interior un montón de mariposas.

Él se le acercó todavía más mientras se abría paso entre la multitud, que se apartaba como si fuera Moisés apartando el agua del mar.

El tiempo pareció detenerse, al igual que todo lo que la rodeaba, los latidos de su corazón y su respiración.

De repente, ya estaba a su lado, tan cerca que si ella extendía el brazo le tocaría el borde de la camisa con la punta de los dedos.

Podía chocar con él accidentalmente, solo para tocarlo. No sabría que era ella.

De pronto, él se volvió y miró más allá de ella con ojos ciegos y desenfocados. Pero la agarró sin vacilar de la muñeca y la atrajo hacia su musculoso cuerpo.

—Charlotte.

Capítulo 2

ERA imposible.

Charlotte había desaparecido cinco años antes. No se había limitado a desaparecer, sino que se había ido para casarse con otro hombre.

La sonrisa triunfante de su madrastra era lo último que él había visto, porque ya no volvería a ver nada más, salvo sombras grises y amorfas.

En situaciones como aquella, solía guiarse por las paredes. Tenía un bastón para desplazase, pero en medio de semejante multitud era difícil, aunque también era habitual toparse con alguien.

Distinguía contrastes agudos entre la luz y la oscuridad, pero no rasgos ni colores. Nada que fuera sutil.

Sin embargo, al llegar al lado de ella había reconocido su aroma. Y, en ese momento, había visto muchas cosas. El color y la luz habían estallado en su cerebro de forma vívida y definida. Los soleados días en la Toscana, que habían sido un infierno salvo por ella; su piel suave y blanca como una perla, demasiado fina y exquisita para que la acariciara. Pero lo había hecho. Y aquel hermoso cabello rubio con el que el padre de ella estaba extrañamente obsesionado.

Era brillante, increíblemente largo, y siempre lo llevaba recogido en un moño para que nadie pudiera apreciarlo verdaderamente. Los recuerdos se apoderaron de él…

—Suéltate el cabello —murmuró con voz ronca mientras le besaba la garganta. Estaban tumbados en la cama con dosel de la habitación de ella.

Cada noche le rogaba que le concediera el privilegio de introducir los dedos en él, de acariciarle los sedosos mechones y verla desnuda mientras le caía como una cascada sobre su pálido cuerpo, una cortina dorada que solo dejaba entrever sus rosados pezones.

Ella lo obedeció, levantó los brazos y se quitó las horquillas. Las semanas anteriores, cuando él había comenzado a ir a su habitación, se lo había pedido todas las noches, y ella había accedido. El hecho de que no se lo soltara antes de que él llegara hacía que creyera que a ella le gustaba el juego de que él ordenara y ella obedeciera.

A él también le gustaba.

Pero era un juego peligroso. Resultaba fácil fingir que se trataba de algo inofensivo, que, si los pillaban, solo recibirían una buena reprimenda, Sin embargo, él no se engañaba. Si lo descubrían con Charlotte, su padre lo mataría. Si descubrían que no era virgen, después de que su padre había hecho todo lo posible para mantenerla aislada del mundo, él moriría. Y, probablemente, Charlotte también.

Por eso no le arrebató la virginidad. Forzaba los límites todas las noches, y todas las noches ella le pedía más. Él se negaba. Pero se estaba debilitando y no podría seguir conteniéndose mucho más tiempo. Y la realidad era que no pensaba hacerlo.

Pensaba llevársela con él en cuanto tuviera un sitio y los medios suficientes para liberarla de su padre. No podía someterla a una vida de pobreza, después de que hubiera llevado la mimada existencia de la hija de un gánster. Aunque el imperio de Michael Adair tenía la apariencia de ser legítimo, no lo era.

El mundo lo consideraba un hombre de negocios, pero eso se debía a que no lo había examinado con atención, porque era un hombre increíblemente rico y poderoso que podía hacer muchos favores, pero también mucho daño si se le contrariaba. A nadie beneficiaba examinar eso en profundidad, así que nadie lo hacía.

Rafe conocía muy bien el poder del que gozaban los hombres como Michael. También sabía lo que era pasar de una vida regalada a la pobreza. Su padre se parecía a Michael Adair. Aunque no era un criminal, utilizaba a las personas hasta exprimirlas.

Hasta que ya no le servían para nada más que para reducirlas a polvo con la suela del zapato. Eso era lo que, sobre todo, recordaba Rafe del padre al que no había visto desde que tenía cinco años: lo que disfrutaba causando dolor.

Cuando los había echado a la calle a su madre y a

él, pareció disfrutar de su pesar o, al menos, del hecho de poder echarlos.

El poder. Sí, a esos hombres les encantaba el poder.

Y Rafe se había pasado muchos años sin tener poder alguno, pidiendo limosna, robando y haciendo lo que podía para que su madre sobreviviera.

Había comenzado cometiendo delitos menores con un grupo de chicos, como entregar paquetes sin preguntar por su contenido. Esa clase de cosas.

La policía acabó por detenerle y lo acusó de tráfico de drogas. A pesar de que solo era un niño; un niño que no sabía lo que hacía.

Durante su detención fue cuando conoció a Michael Adair.

Solo mucho después cayó en la cuenta de que Michael tenía que haber estado relacionado con las drogas y con la banda criminal con la que él había trabajado.

Michael Adair no solo le devolvió la libertad, sino que le proporcionó una educación, para lo que le pagó los estudios en uno de los mejores colegios privados de Europa. Rafe lo aceptó de muy buen grado, sin preocuparse de lo que podría significar en el futuro.

Michael le prometió que un día se cobraría el favor. Y, en efecto, así lo hizo.

Durante años, Rafe se dedicó a hacerle algunos recados en Roma, hasta que Michael se lo llevó a su finca como aprendiz, para enseñarle personalmente.

Fue entonces cuando conoció de verdad al hombre con el que había estado colaborando, lo duro que era y su absoluta falta de moral.

Rafe le preguntó una vez por qué había demostrado tanto interés por un chico de la calle, por qué lo había ayudado y pagado los estudios.

Michael le contestó que había sido porque no tenía un hijo y había creído que tal vez él podría ser el protegido que necesitaba.

Rafe se habría sorprendido o disgustado si él mismo no fuera hijo de un canalla sin escrúpulos. Tal como estaban las cosas, pensó que podría beneficiarlo. Al menos, aquel canalla sin escrúpulos quería ayudarlo, a diferencia de su padre.

Después de acabar los estudios, comenzó a examinar el imperio de Michael Adair. Por aquel entonces ya vivía en la finca, por lo que no se podía marchar, salvo con los pies por delante.

Sus negocios lo ponían enfermo. Michael era despiadado. Le daba igual a quién hiciera daño en cuestión de negocios y, para obtener lo que deseaba, no dudaba en recurrir a la intimidación e incluso al asesinato. Tenía un grupo de hombres a su servicio que se ocupaba de aplicar el castigo a quien no se atenía a sus deseos. Y Rafe se consideraba afortunado por que no lo hubiera obligado a formar parte de ese aspecto del negocio.

Lo que Michael estaba haciendo era enseñarle el negocio, puesto que no tenía un hijo. Deseaba que Rafe se hiciera cargo de la parte legal, de la fachada del imperio.

Sin embargo, eso no implicaba que lo considerara

suficiente para su hija, y Rafe no se engañaba al respecto. Había decidido que, aunque estaba contento de recibir de Michael toda la educación que pudiera, no iba a tomar las riendas de su malvado imperio.

Se escaparía a la primera oportunidad. Y lo haría con Charlotte.

Entonces, la haría suya.

Ella sacudió la cabeza y el cabello le cayó como una ola dorada. A él se le encogió el estómago. No podía respirar. Había poseído a innumerables mujeres, como consecuencia de ser un chico sin nadie que lo controlara desde muy joven y de parecer mucho mayor de lo que era al llegar a la adolescencia.

Sin embargo, ninguna lo había afectado como ella, con ninguna le había parecido que le arrancaban el corazón, que se moriría si la tocaba. También la quería proteger, hasta tal punto que se dejaría cortar las manos antes de hacerle daño. Y era esa necesidad, que eliminaba todo lo demás, la que le daba fuerzas para resistirse a ella noche tras noche.

Se inclinó hacia ella y deslizó los dedos entre su cabello. Agarró los dorados mechones y se los llevó al rostro para aspirar profundamente su aroma.

Olían a rosas, a lavanda y a algo más que no sabía describir y que solo le pertenecía a ella.

Rafe volvió al presente y a la sensación de tener asida por la muñeca a aquella mujer. Era muy suave. Tenía que ser Charlotte. Solo podía ser ella.

Claro que hacía cinco años que no tocaba a una

mujer, por lo que tal vez la memoria lo traicionara, tal vez todas las mujeres fueran suaves, aunque no lo creía.

Michael Adair había muerto. Había estado pensando en él aquella mañana. Tal vez, por eso, su cuerpo le estuviera jugando una mala pasada.

O tal vez, por eso, Charlotte hubiera vuelto a aparecer.

—Ven conmigo —dijo en tono duro.

Se agarró a ella con una mano y utilizó el bastón con la otra para tantear el suelo frente a ellos.

Ella no dijo nada, no protestó. Él se sentía muy frustrado porque deseaba… ¡Cómo deseaba verle el rostro! Era cierto que el resto de sus sentidos se le habían afinado notablemente después del accidente, pero, en aquel momento, no podían sustituir el de la vista ni por asomo.

Salieron del salón de baile. Parecía que no había nadie alrededor, pero, si lo había, Rafe no creía que se atreviera a interrumpirlos. Durante los cinco años anteriores, también se había ganado una temible reputación. No hacía prisioneros. Actuaba con ética. Estaba resuelto a hacerlo, a no parecerse en absoluto a Michael Adair ni a ninguno como él. Pero asimismo lo estaba a no volver a la calle, de donde había salido.

El poder era lo que protegía a los hombres. Lo sabía muy bien. La única razón por la que había estado a merced de Michael era por su vulnerabilidad, porque carecía de recursos. Y de poder.

Se había prometido a sí mismo que no volvería a

hallarse en esa situación. Nunca. Ya no era vulnerable en absoluto. La ceguera, la última jugada de la naturaleza que le demostraba que no poseía el poder total, solo lo había incitado a esforzarse más.

Era un accidente que prefería que no hubiera sucedido. No quería concederle demasiada importancia en su vida, pero estaba seguro de que había hecho que trabajara más, que lo había vuelto más decidido a parecer capaz e infalible.

También estaba seguro de que, al principio, muchos lo habían subestimado a causa de ella. Así que no lo vieron venir cuando su empresa desbancó a las de sus competidores, cuando su éxito los dejó sin trabajo, mientras su negocio de fabricación de componentes electrónicos se extendía lenta pero firmemente por el mundo.

A él le había resultado una deliciosa paradoja.

—¿Qué haces aquí? —le preguntó a ella—. ¿Te has librado de tu esposo? ¿O te ha dejado que salgas esta noche?

—Yo… yo…

¿Era ella? ¿Era su voz? Hacía tanto tiempo… Y la memoria no era infalible. Si solo se trataba de algo creado por sus deseos más oscuros, por una necesidad que no debería seguir sintiendo, su ira contra sí mismo no conocería límites.

—Charlotte Adair —dijo su nombre como si fuera una maldición—. ¿Sigue siendo ese tu apellido? Después de casarte con Stefan, ¿adoptaste el suyo?

—Creo que se equivoca de persona —dijo ella en un susurro.

Él le deslizó la mano por el brazo, pasando por la clavícula y el cuello hasta llegar a la barbilla, que sostuvo entre el pulgar y el índice.

–Nunca me equivoco. Harías bien en recordarlo –se inclinó para volver a olerla. Rosas, lavanda… Charlotte.

Con cada latido, su corazón repetía su nombre.

Tenía que ser ella. Ninguna otra mujer lo había afectado así en los cinco años anteriores. En realidad, ninguna mujer lo había emocionado en absoluto.

Y, cuando había cruzado el salón de baile y aspirado su aroma, le pareció que había vuelto a nacer.

–Si me mientes, me las pagarás. No te imaginas lo que te costará.

Ella comenzó a temblar bajos sus dedos y él deslizó el pulgar hacia arriba para acariciarle el labio inferior, lo que lo excitó intensamente.

–No puedes mentirme –susurró con la boca tan cerca de la de ella que sentía su aliento–. Aunque tengas esposo, ningún hombre te conoce como yo.

La llevaba grabada en la memoria como a nadie más. Perder la cabeza por ella había estado a punto de costarle todo, había sido un momento decisivo en su vida. No podía librarse de ella, porque llevaba su marca.

Y no solo por haber perdido la vista, sino por las feas cicatrices que le habían quedado en el cuerpo al caerse del balcón.

Desde donde lo habían empujado.

–Mi… mi padre ha muerto –dijo ella de forma

apresurada–. He venido a Londres a solucionar unos asuntos suyos.

Él rio. Y el sonido de su risa a él mismo le pareció frío y duro.

–Qué estúpida. ¿Creías que no me habría enterado de su muerte? Estuve a punto de dar el día libre a mis empleados para celebrarlo.

Le deslizó la mano hasta la garganta y se la agarró con suavidad sintiendo su pulso bajo el pulgar.

–Estaba segura de que no les habrías dado el día libre para hundirte en la pena –dijo ella respirando con rapidez, lo que demostraba su temor, aunque no lo hiciera el tono de su voz.

–Esa noche abrí la mejor botella de champán que tenía.

Ella se movió y él tuvo la impresión de que lo miraba directamente al rostro y que antes no lo había hecho.

–Yo también. No creas que tienes el monopolio del desprecio hacia él.

–Probablemente sea lo único que nos queda en común, *cara mia* –ella se tensó bajo su mano.

–No me extrañaría.

Notó cómo se le aceleraba a ella el pulso, por lo que supo que el corazón le latía a la misma velocidad. Estaba enfadado con ella, muy enfadado. Quería destruirla, aniquilarla como a él lo había aniquilado su pérdida. Su traición.

Pero también la deseaba, a pesar de que lo amargaba la protección que le había brindado, la virginidad que no le había arrebatado para que ella se la entregara a otro y se casara con él.

Era suya por derecho propio. Y por una caballero-
sidad mal entendida, que ya no poseía, no la había
reclamado.

–¿Está aquí tu esposo?

Ella vaciló.

–No.

–Creo que tú y yo tenemos un asunto pendiente
–volvió a llevar la mano a su boca para acariciarle
los carnosos labios con el pulgar–. ¿No te parece?

Se imaginó que ella echaba la cabeza hacia atrás
con expresión altiva. La había visto hacerlo muchas
veces.

–No sé de qué me hablas.

–Creo que sí –volvió a deslizar el dedo hasta su
cuello para sentir su pulso–. Esto es tal y como lo
recuerdo. Hago que la sangre te circule más deprisa,
lo que me lleva a preguntarme si también te pongo
húmeda.

Ella ahogó un grito y él esperó una bofetada que
no llegó.

–Tengo miedo –dijo ella con voz queda.

–No me lo creo. Una mujer que se atreve a venir a
Londres, a un sitio donde sabe que estaré, poco
tiempo después de la muerte de su padre… No creo
que le tenga miedo a nada. No, no creo que eso sea
miedo, Charlotte.

–Lo que creas o dejes de creer no se convierte en
realidad de forma automática.

Él rio.

–Verás, eso no es verdad. Soy más rico que tu
padre. La gente hace lo que se me antoja, no porque

me teman, sino por lo que yo puedo hacer por ella. Lo que deseo suele convertirse en realidad fácilmente.

Cinco años. Cinco años llevaba sin acariciar a una mujer; más sin tener sexo. No había habido nadie más desde que la había conocido. Y se había contenido por respeto a su inocencia.

Ahora hacía cinco años que no la tocaba.

—Puedo hacer que me desees —dijo él.

Y detestó que, por primera vez en cinco años, dudara de sí mismo. Porque, por muy seguro que estuviera de muchas cosas, no lo estaba de que ella quisiera acostarse con un hombre ciego y lleno de cicatrices.

—¿Qué me estás proponiendo exactamente? —preguntó ella con frialdad.

—Te lo voy a decir claramente. No me importa lo que hayas hecho en los últimos cinco años ni tampoco que te casaras con Stefan. No me importa lo que hagas mañana. Solo me importa esta noche. Esta noche quiero terminar lo que tenemos pendiente. Esta noche te quiero en mi cama.

Él se echó hacia atrás bruscamente cuando los dedos temblorosos de ella le acariciaron el labio inferior. La sorpresa lo inmovilizó. Hacia mucho tiempo que nadie lo acariciaba, así que se quedo muy quieto mientras ella le recorría los labios imitando lo que él acababa de hacerle. Continuó por la barbilla y bajó hasta el cuello parta sentirle el pulso

—A no ser que me tengas miedo, parece que sigo teniendo en ti el mismo efecto que antes.

Él la agarró de la barbilla.

–Puede ser, pero hay algo que ha cambiado: ya no te quiero, Charlotte. Al contrario. Si te llevo a la cama, te entregarás a un hombre que te odia. Aunque me pregunto si eso te importa, ya que a mí me da igual. Te deseo lo mismo.

–¿Una noche? –preguntó ella con un ligero temblor en la voz.

–Solo una –respondió él.

Ella soltó el aire lentamente.

–De acuerdo. Una noche.

Capítulo 3

ESTABA loca. Suponía que eso era lo que le pasaba a alguien que llevaba años aislada, aunque ella no lo había estado verdaderamente. Había hecho amigos en todos los lugares por los que había pasado, pero siempre sabía que no se quedaría mucho tiempo. Y, desde luego, no había revelado la verdad de sus circunstancias, por muy maravillosos que fueran sus nuevos amigos.

Era peligroso para ellos, al igual que para sí misma.

Eso siempre creaba una distancia entre sus amigos y ella, por mucho que quisiera que desapareciera.

Pero su antigua vida, aunque se hubiera alejado mucho de ella, seguía teniéndola en su poder. Llevaba cinco años mirando hacia atrás por encima del hombro temiendo que los hombres de su padre, o de Stefan, aparecieran en la puerta de su casa o en una de las tiendas en las que trabajaba; cinco años viviendo en el extranjero, yendo de un sitio a otro, escondiéndose.

Pero su padre había muerto. Y la última garra de

su pasado clavada profundamente en su carne era Rafe. Había ido esa noche a Londres a verlo por última vez antes de seguir adelante. Pero tal vez aquello fuera mejor, tal vez fuera lo que necesitaba.

Cinco años antes, había estado dispuesta a entregarle su virginidad. Era el hombre al que quería ofrecérsela. Tal vez fuera el destino, sin importar lo que los años posteriores le hubieran deparado.

Sí, Rafe la había hecho sufrir. Su abandono la había herido profundamente. Pero, al final, él no hubiera podido hacer nada por ella. Y ella no hubiera podido volver con él mientras su padre viviera.

Si su padre hubiera conocido su paradero, habría ido a buscarla y habría matado a Rafe.

Sus fantasías con respecto a él estaban envueltas en ira, pena y tristeza. Le echaba la culpa de algunas cosas. En la oscuridad de la noche, tumbada en la cama con la sensación de tener un peso enorme en el pecho, lo acusaba airada de no haberla salvado, de no haber subido a su habitación en la torre y habérsela llevado consigo a vivir a algún bosque donde los ratones y los pájaros les construyeran una casa.

Sin preocupaciones y sin contacto con el mundo exterior.

Pero aquello era el mundo real, no un cuento de hadas, y sabía que nada de eso era posible.

Podía valer como una preciosa fantasía. Sin embargo, al final, había tenido que escaparse sola porque haberse llevado a alguien con ella lo habría puesto en peligro.

Así que daba igual que Rafe se hubiese marchado. Había sido lo mejor para él.

Pero le seguía doliendo pensar en él.

Por tanto, tal vez fuera eso lo que necesitaba hacer. Tal vez fuera la salida que esperaba. Solo tal vez.

Quedaba por ver si era el camino de la salvación o la perdición. En cualquier caso, ya se hallaba en él.

En la limusina de Rafe.

Llevaba muchos años sin viajar así. Incluso esa noche, en que llevaba un vestido que le había costado todos sus ahorros, había tomado un taxi.

No le preocupaba mucho habérselos gastado, ya que la semana siguiente tendría el dinero de la herencia. Esa noche iba a ser una extraña fantasía o, más bien, el último capítulo de una vida que no había elegido.

Agarró con más fuerza el bolso y miró hacia delante. Las luces de la ciudad se le reflejaban en el rostro.

Rafe le puso la mano en el hombro.

—Solo quiero comprobar que sigues aquí.

—No me creo que hayas pensado que me había ido —como si fuera a lanzarse silenciosamente a las calles de Londres a rodar con su bonito vestido rojo.

—No. Te oigo respirar. Casi oigo los latidos de tu corazón. Dime, Charlotte, ¿estás nerviosa?

—Te he dicho que sí. Te he dicho que estaba asustada.

—No estás asustada. Sabes que no voy a hacerte daño. Tuve muchas oportunidades de hacértelo cuando estábamos a solas y veía. Podría haberte hecho algo y, para cuando hubieras gritado, ya hubiera sido tarde para que los hombres de tu padre te rescataran. Yo diría que, como tu padre ya no está, no tienes nada que temer de mí. Cualquier influencia que hubiera podido utilizar hace tiempo que desapareció.

Era extraño que mencionara la posibilidad de haberle hecho daño para evitar seguir trabajando para su padre o que la hubiese amenazado con hacérselo. A ella no se le había ocurrido que pudiera estarla utilizando, porque era muy joven y confiaba en él.

No obstante, ni le había hecho daño ni la había tomado como rehén.

Y, si él quisiera hacerle daño ahora, sería algo personal, una venganza. ¿Por qué? Era él quien la había abandonado, lo cual demostraba, como mínimo, que sus sentimientos hacia ella no eran muy intensos.

Su negativa a quitarle la virginidad se había debido a que quería protegerse y salvar el pellejo. No tenía nada que ver con respetarla ni protegerla, como había fingido años antes.

–No creo que vayas a hacerme daño –dijo ella con la garganta tan tensa que apenas podía hablar–. ¿Qué diría la prensa? Nos han visto salir juntos. Nadie sabe quién soy, pero si encuentran mi cuerpo en la habitación de un hotel, me relacionarán contigo enseguida.

Lo miró y vio que hacía una mueca. Seguía con la mano en su hombro, manteniendo el contacto.

–Por favor, no voy a matarte. Ese es más el estilo de tu padre que el mío. Tales demostraciones no me interesan. He levantado mi imperio sobre la roca, no sobre la arena.

–Excelente. Así que, cuando llueva, tu casa la soportará en pie.

–Eso espero –contestó él en tono cáustico.

De repente, todo le pareció absurdo: llevar aquel vestido y estar en una limusina con Rafe. Apenas entendía cómo había llegado hasta allí. Unas horas antes, se había puesto el vestido, dispuesta a entrar discretamente en el baile, ver a Rafe durante unos segundos y marcharse. Pero él había percibido su presencia.

Era algo con lo que no contaba.

Ya debería saber que era imposible prever lo que haría Rafe.

–¿Qué es lo que quieres de mí?

–Me parece que es evidente. Solo quiero reclamar lo que deseo, lo que siempre he deseado. Quiero tu cuerpo, Charlotte. Quiero todo lo que no tuve hace cinco años. Fueron semanas de juegos eróticos previos solo para que me robaran el premio. No me lo tomé bien entonces y no me gusta ahora.

Ella frunció el ceño.

–¿Cómo que te robaron el premio? Fuiste tú el que te marchaste.

–¿Que me marché? ¿Así que esa es la historia? –se echó a reír–. Me indicaron el camino de salida, desde luego.

–Una mañana me dijeron que te habías ido y que me llevarían a casarme con Stefan, que mi padre conocía nuestra relación y que te había hecho una oferta para que te fueras. Y que habías preferido el dinero a mí, que habías elegido la libertad. Me dolió mucho, Rafe, pero lo entendí. Sé cómo era mi padre y lo maravilloso que hubiera sido librarse de él. Si yo hubiese podido verme libre de él tan fácilmente, lo habría hecho. No voy a decirte que no me enfadara, pero lo acepté.

Lo miró. El rostro de él se iluminó al pasar por delante de una tienda con el escaparate iluminado. Su expresión no revelaba nada.

—No te abandoné —dijo por fin.

—¿Ah, no?

—No. Me dijeron que te habías ido a casarte con el hombre que tu padre había elegido, que habías optado por la línea de menor resistencia.

Ella rio sin alegría.

—Supongo que el hecho de que nos creyéramos lo que nos contaron Josefina o mi padre demuestra lo estúpidos que éramos. Siempre fueron maestros en el arte de la manipulación. Y, en nuestro caso, ni siquiera tuvieron que esforzarse mucho, ya que éramos dos personas vulnerables y dispuestas a creer lo peor sobre el mundo y sus habitantes.

—¿Por qué íbamos a haber creído algo distinto?

Se hizo un silencio.

—Quiero hacer esto —dijo ella cerrando los puños—. ¿Y tú?

Las luces de la calle iluminaron el exquisito rostro masculino, resaltándole los pómulos y la curva de los labios. A ella casi se le paró el corazón.

—Casi no he deseado otra cosa en los últimos

cinco años. He amasado una gran fortuna, Charlotte, pero hay dos cosas que no he podido conseguir, a pesar de mi riqueza y poder: recuperar la vista y a ti. A ti puedo poseerte, y lo haré. La vista no podré recuperarla.

El coche de detuvo frente a un hermoso edificio de piedra, bien iluminado.

–Hemos llegado –dijo él al tiempo que le quitaba la mano del hombro. Siguieron sentados esperando. El chófer abrió la puerta y Rafe se bajó agarrándose al coche mientras buscaba la acera con el bastón.

El corazón de ella se dobló como si estuviera hecho de papel. De todos los malentendidos que había habido entre los dos, aquel no era uno de ellos. Rafe había perdido la vista y, aunque hacía tiempo que lo sabía, a ella le seguía doliendo que hubiera perdido algo de sí mismo.

Y el hecho de que su madrastra y su padre les hubieran mentido a los dos.

Sí, Rafe y ella se merecían esa noche. Con independencia de lo que sucediera después, se la merecían.

El chófer le abrió la puerta y ella vio que Rafe le tendía la mano. Vaciló, pero solo unos segundos. Después entrelazó los dedos con los de él, que la ayudó a bajarse de la limusina. Ella acabó con la mano apoyada en los músculos de su pecho, sobre su corazón.

Estaba desbocado, igual que el de ella.

–Rafe…

–Tenemos que entrar ahora mismo porque, si no, te voy a poseer contra la pared del edificio.

Durante unos instantes, Charlotte no entendió qué mal habría en ello.

—Muy bien —dijo con voz ronca.

Rafe la condujo con mano firme al interior, y los dos cruzaron el vestíbulo hasta el ascensor de puertas doradas. Estas se abrieron y ella lo siguió.

Era evidente que aquel era su territorio. No vacilaba en ninguno de sus movimientos. La única señal de que no veía lo que lo rodeaba era el rápido barrido del suelo que efectuaba con el bastón.

De pronto, ella comenzó a respirar más pesada y rápidamente. Llevaba cinco años sin verlo. Con solo dos semanas de intimidad física había construido cinco años de fantasías. Y allí estaba, pero Rafe ya no era su Rafe, un hombre al servicio de su padre, sino uno de los empresarios más ricos del mundo. Un hombre con miles de millones de dólares, al que la prensa dedicaba frases hiperbólicas y del que las mujeres hababan con admiración y respeto.

Pensarlo fue como recibir un puñetazo en el estómago. Se preguntó con cuántas mujeres habría estado desde su época en la finca, a cuántas habría acariciado, besado, poseído.

Claro que, en realidad, él no había sido nunca suyo, por lo que era una tontería preocuparse de quién lo hubiera poseído.

«Lo tendrás esta noche. Las otras mujeres no importan. No se trata de ellas, sino de ti. Esto es para ti y nadie más».

Si, llevaba demasiado tiempo estancada. Aquello se había acabado.

Esa noche, Rafe sería suyo, sin importarle las consecuencias.

El ascensor llegó a su destino antes de lo que ella se hubiera imaginado y las puertas se abrieron. Ya estaban allí.

Ni siquiera se habían besado. Llevaban cinco años sin besarse. Ella había aceptado simplemente por una caricia, por su forma de asirle la garganta con calidez y firmeza.

Ya no podía volverse atrás. Ni siquiera estaba segura de desearlo.

Él la tomó de la mano y la condujo al interior.

El ático era espartano. Amplias franjas del suelo estaban desnudas y los muebles se hallaban pegados a las paredes. Él se quitó la chaqueta y la colgó del perchero. Después dejó el bastón al lado de la puerta.

—Mis circunstancias han cambiado bastante —comentó mientras indicaba con un gesto el espacio que los rodeaba.

—Tus circunstancias nunca me importaron —examinó la firmeza de su mandíbula y la expresión inescrutable de su rostro. Su cuerpo irradiaba oleadas de tensión. Quería tocarlo y, a la vez, alejarse de él. La asustaba, pero también le resultaba magnético y cautivador. Todo a la vez.

—Mis circunstancias me importan mucho.

—Por supuesto —susurró ella—. No era mi intención…

—No quiero tus disculpas, Charlotte. No estamos aquí para hacernos reproches. Ahora no. Hace tiempo que tú y yo deberíamos habernos olvidado de nuestros escarceos juveniles. Es evidente que no lo hemos hecho. Por eso queda un asunto pendiente entre nosotros. Y, por mi parte, quiero resolverlo.

Después de eso, se acabó la espera. Él le tendió los brazos y ella fue hacia él, que le pasó el brazo por la cintura y la atrajo hacia su duro y musculoso cuerpo.

La agarró de la barbilla, como había hecho en la fiesta, pero esta vez no se detuvo, no la acarició lenta y cuidadosamente. No vaciló.

Sus labios se estrellaron contra los de ella sin equivocarse, se los abrió con la lengua, que le introdujo, resbaladiza y caliente, más aún de lo que ella recordaba, en la boca.

Él había sido el primero y el único que la había besado

Desde entonces, no había dejado que ningún hombre se le acercara tanto. No quería que volvieran a partirle el corazón, sobre todo cuando su vida corría tanto peligro, cuando seguía siendo peligroso respirar profundamente y, mucho más, establecer un vínculo emocional con otra persona.

Y no le parecía bien buscar una relación puramente física, tal vez por la intensidad de lo que había sentido por Rafe. No estaba segura. En cualquier caso, no le atraía la idea.

Pero era lo que iba a hacer en aquel momento. Con él, que no le había hecho promesa alguna. Ella tampoco se la iba a pedir.

Se trataba de empezar una nueva vida, la que deseaba, en sus propios términos, libre de la influencia de su padre. Suponía que eso implicaba liberarse, asimismo, de la influencia de Rafe.

Y, después de aquella noche, se vería libre de ella. Eso esperaba.

Pero aquel beso no sabía a libertad, sino a apabullante necesidad, a esclavitud consentida. Era como si ella se volviera a comprometer con Rafe cada vez que su lengua acariciaba la de él.

Sin embargo, no podía hacer eso. Debía atenerse a su plan, comprometerse con su libertad.

Nunca había tenido libertad ni la vida que deseaba. No podía robársela a sí misma, sobre todo antes de tener la oportunidad de agarrarla con las manos.

Pero lo que ahora le resultaba imprescindible era abrazar a Rafe. Le era tan necesario como el aire que respiraba.

Él le mordió el labio inferior y el deseo le recorrió el cuerpo hasta asentársele entre las piernas. Recordaba aquello. Había permanecido en un rincón de su cerebro, un recuerdo medio borrado durante cinco años. Había revivido con claridad.

Era algo que solo había sentido con él. Era como si tuviera en su interior un animal salvaje, sin domar. Lo único que había existido para ella.

La habían escondido, aislado del mundo, en la finca. Y todo lo salvaje que había en ella había sido para él.

Era asombroso hasta qué punto era verdad en aquel momento, la rapidez con la que ella había retrocedido a aquella época en su dormitorio, cuando lo único bueno y maravilloso de su vida era Rafe. Por él había valido la pena correr los riesgos en los que los dos se esforzaban en no pensar.

Habían hablado, desde luego, de la necesidad de no ser descubiertos, pero se lo tomaban como si fueran niños que actuaban a escondidas, en vez de como dos personas en peligro si los descubrían.

Ahora nadie los iba a descubrir. No había peligro. Lo que había convertido su situación en algo prohibido y especial había desaparecido. No había muros ni cadenas, por decirlo así. Estaban allí por propia voluntad. Era lo que habían elegido.

Ella no era el único cuerpo en el que él podía hallar placer. No era una chica atrapada que no hubiera conocido a otros hombres que la atrajeran.

No había salido con nadie porque ninguno lo había atraído como Rafe.

Ninguno.

Ella alzó la mano para quitarse las horquillas del cabello, cosa que a él tanto le gustaba y que siempre le pedía.

Él la agarró de la muñeca.

—No

—Pero...

—Déjatelo recogido.

Sus palabras la hirieron, aunque no sabía el motivo, salvo porque, a pesar de lo que él le había dicho, no quería ser demasiado consciente de que se trataba de ella. Al fin y al cabo, no la veía. Y pedirle que no se soltara el cabello era verdaderamente como pedirle que se quedara envuelta en la oscuridad.

Debía decidir si esa herida era lo suficientemente grave para marcharse.

No lo era porque no se trataba de ella ni de sus sentimientos. Tampoco de recuperar algo que había sucedido entre ambos hacía tiempo. Se trataba de dar un paso adelante, de cerrar una puerta. Tenía que dejar que solo fuera eso.

Permitir que fuera algo único. Y, si él quería que siguiera con el cabello recogido, pues muy bien.

Su cabello era otra cosa a la que llevaba demasiado tiempo concediéndole mucha importancia.

Tal vez ese fuera otro cambio que debería hacer cuando aquello hubiera acabado.

No se había cambiado de peinado durante todos aquellos años, y sabía por qué. No tenía nada que ver con su padre. Como Rafe le había dicho hacía tiempo, la obsesión de su padre con su cabello era escalofriante.

No se había tocado el cabello por Rafe. Era por él. Le encantaba deshacerle el moño, enrollarse el cabello en la mano y acariciarle los dorados mechones. Ella se lo había dejado así para él durante cinco años.

Tal vez, cuando aquello hubiese acabado, no sentiría esa compulsión.

Era evidente que él ya no se lo exigía.

—Quítate la ropa —dijo él. Sus palabras hendieron el silencio como un cuchillo y le traspasaron el alma.

Ella vaciló durante un instante.

—Muy bien —se llevó las manos a la espalda para bajarse la cremallera.

—Quiero que me digas lo que llevas puesto —dijo él despacio, pero con suprema autoridad.

–¿Decírtelo? –preguntó ella con voz ahogada.

–Sí, dime con detalle lo que llevas puesto esta noche. Supongo que un vestido de un tejido que no es seda. Una capa fina sobre algo más pesado, ¿no?

–Sí.

–Descríbemelo mientras te lo quitas.

Él se hallaba de pie en el centro de la habitación, detrás de ella. Su expresión era impasible. Aunque la hubiera estado mirando directamente, no la habría visto.

–Es… es rojo –intentó bajarse la cremallera sin conseguirlo–. Es de tirantes, con el escote en forma de V. Se adapta a mi cuerpo y se me ajusta desde las caderas hasta debajo de las rodillas. A partir de ahí tiene vuelo, como si fuera la cola de una sirena.

–Muy interesante. ¿Y qué llevas debajo?

Ella se bajó los tirantes hasta la cintura y el vestido cayó con un susurro a sus pies.

–Debajo… –tragó saliva–. El sujetador es rojo, a juego con el vestido. Es de encaje.

–Entiendo. ¿Y se ven tus preciosos pezones a través de la tela? Eran muy pálidos, de un tono rosa que me resulta muy excitante. Se me hace la boca agua solo de pensarlo.

Ella volvió a tragar saliva. Temblaba.

–Sí, los verías a través de la tela.

–Si viera.

–Sí, si vieras –dijo ella con suavidad.

–Por favor, dime que las braguitas van a juego, que son rojas y de encaje y que vería tus preciosos rizos dorados a través de la tela.

Ella apenas podía respirar. Estaba mareada.

–Sí –volvió a tragar saliva–. La tela es transparente.

Nunca había desempeñado el papel de seductora. Aquellas semanas en su habitación, había sido él quien la había seducido. Y, aunque ella le había rogado que fueran hasta el final, él había sido quien controlaba la situación. Ahora era distinto. Entre ellos, el aire estaba cargado de electricidad. Y la expresión de él se tensaba a medida que pasaban los segundos. Tenía los puños cerrados y parecía una estatua de piedra.

De una bella piedra que estaría caliente al tacto. El momento estaba cargado de un extraño poder, al pedirle él que le describiera su ropa. Ella podía haberle dicho cualquier cosa, pero solo deseaba hablar con sinceridad, porque, a pesar de ser un hombre tan fuerte, notaba en él cierta vulnerabilidad. Era más fuerte que ella, más experimentado. Siempre lo había sido.

Pero ella poseía cierto poder, sin lugar a dudas.

Él se lo había proporcionado.

Incluso en aquel momento, con las cosas como estaban entre ellos, él se lo había dado.

–Quítate el sujetador –ordenó él.

Ella lo obedeció sin pensarlo.

–Ahora, dime –dijo él con voz ronca–. ¿Se te han endurecido los pezones por el aire frío?, ¿por mi voz?, ¿porque estás excitada, ya que sabes lo que voy a hacer a continuación? Me conoces y sabes que soy insaciable con respecto a tus senos. Voy a introducirme uno de tus dulces capullos en la boca, a lamerlo y a degustarlo.

Ella se estremeció.

–Sí.

–¿Sí quieres que lo haga? ¿O sí estás excitada?

–Las dos cosas –susurró ella con una voz ronca que le resultó irreconocible.

Una sonrisa se dibujó en los labios de él, que a ella le pareció cruel.

–Ahora las braguitas. Bájatelas despacio –su sonrisa se hizo más ancha–. No me has dicho nada de los zapatos.

–De tacón y rojos, como el vestido.

–¿Los llevas puestos todavía?

–No me has dicho que me los quite.

Él hizo una mueca.

–Muy bien. Déjatelos puestos.

Ella accedió a sus deseos bajándose las braguitas lentamente hasta dejarlas en el suelo. Y se preparó para recibir nuevas órdenes.

–Ahora dime. ¿Estás húmeda? Ahí, entre los muslos, ¿estás húmeda y deseando que te acaricie? Ya te acaricié hace tiempo. ¿Recuerdas que ponía la mano entre tus muslos y te acariciaba, extraía la humedad de tu interior y te frotaba el clítoris con el pulgar? ¿Te acuerdas de eso?

–Sí –contestó ella a toda velocidad.

–¿Y es eso lo que ahora quieres de mí?, ¿que te acaricie los resbaladizos pliegues con la lengua mientras mis dedos están en tu interior?

Ella había intentado en más de una ocasión reproducir con sus manos el placer que él le había proporcionado con las suyas. No era lo mismo. No había vuelto a sentir esa clase de placer en cinco años. Y lo que él le estaba diciendo sobrepasaba con mucho su necesidad de dar por concluida una etapa de su vida, superaba las excusas que se había puesto a sí misma.

Se trataba únicamente de deseo, lisa y llanamente, de puro deseo sexual. Y era algo que creía haber olvidado.

Sin embargo, parecía que Rafe lo había conservado y protegido.

—Sí, es lo que quiero.

—Muy bien. Puedes dejarte los zapatos puestos. Ven conmigo a mi habitación.

Capítulo 4

RAFE se dirigió a toda prisa al dormitorio y Charlotte lo siguió. Sus tacones resonaban en el brillante suelo de mármol.

Él abrió la puerta. La gran cama, perfectamente hecha, la dejó sin aliento, porque estarían juntos en ella. Y, esa vez, nada los detendría, nada les impediría consumar el deseo que los había consumido durante tanto tiempo.

Antes, siempre había habido algo que se lo impedía, algún obstáculo. Pero eso se había acabado. No habría necesidad de parar ni dispondrían de excusa alguna.

Ella respiró hondo y se acercó a los pies de la cama.

–¿Dónde estás? –preguntó él.

–Frente a la cama. A los pies.

Él se orientó y se dirigió hacia ella siguiendo su voz y sus instrucciones.

–¿De qué color llevas pintados los labios? Espero que de rojo, a tono con todo lo demás.

El corazón de ella le golpeó el esternón.

–Así es.

–Quiero que me dejes su marca en todo el cuerpo –dijo él con voz ronca–. Quiero que veas exactamente lo que ha pasado entre nosotros. Ven aquí.

Ella dio dos pasos para salvar la distancia que los separaba.

–Bésame –ordenó él–. Aquí –levantó la mano e indicó la garganta. Ella se inclinó y lo besó con lentitud y firmeza.

Se irguió y lo miró.

–¿Me has dejado la marca?

Ella examinó su trabajo, la mancha roja en su piel.

–Sí.

–Muy bien. Ahora quiero que me desnudes, Comienza por la chaqueta, después sigue por la corbata y la camisa.

Charlotte estaba mareada y sin respiración, pero ansiosa de obedecerlo. Le quitó la chaqueta sin preocuparse de dónde caía. Después le deshizo el nudo de la corbata, y el trozo de seda negra cayó también al suelo.

Con manos temblorosas le desabrochó el botón superior de la camisa. Después le apretó el pecho con los dedos, se inclinó y lo besó ahí, justo encima del corazón.

–También te he dejado la marca ahí –dijo con voz suave.

Le desabrochó el siguiente botón y repitió el beso. Y siguió descendiendo, botón a botón, mientras aspiraba su aroma. Entonces, se perdió en los recuerdos, porque aquel seguía siendo el Rafe que recordaba. Le había desabotonado la camisa muchas veces.

Lo había visto desnudo.

Era cierto que ahora estaba más musculoso y tenía más vello en el pecho. No obstante, seguía siendo Rafe. Y ella lo recordaba.

Se acordaba del sabor de su piel, de su deseo constante de él, que nunca conseguía saciar.

Le sacó la camisa de los pantalones y se la abrió. Lo besó justo encima del cinturón, que agarró con dedos temblorosos para desabrocharle la hebilla. Lo había hecho antes. Por él. De hecho, lo había obligado a aceptarlo, porque, mientras él desempeñaba el papel de caballero y le proporcionaba placer de varias formas sin tomar su virginidad, no reservaba nada para sí.

Por eso, ella había insistido. Y, cuando hubo comenzado, no había habido nada capaz de detenerla. Para ser más precisos, creía que él no habría querido que lo hiciera.

Él había jugado a defender su honor o, como mínimo, a ejercer el control, pero había disfrutado, sin lugar a dudas, al entregárselo, cuando ella se había puesto de rodillas. Esperaba que ahora sucediera lo mismo.

Le bajó los pantalones y los calzoncillos y dejó al de cubierto la dura columna de su masculinidad. El corazón de ella se desbocó y todo su cuerpo se tensó. También recordaba aquello, lo recordaba a él. Su forma, cómo lo sentía en la mano, duro, caliente y totalmente tentador.

Alzó la mano y envolvió su dura masculinidad con la mano al tiempo que soltaba un largo y lento suspiro de satisfacción. Él se sobresaltó y ella sonrió. Y, de repente, los años transcurridos se esfumaron. Al inclinarse hacia él y lamerlo, antes de introducir su sexo en la boca, le resultó fácil imaginar que se hallaba de nuevo en la habitación de la torre, en una de aquellas noches tórridas e ilícitas.

Él la agarró del cabello, que todavía seguía recogido en un moño en la nuca. Y eso hizo que ella recordara. El fuerte tirón la devolvió a la realidad, el darse cuenta de que llevaba el cabello sujeto le recordó que el tiempo no había retrocedido y que no eran el Rafe y la Charlotte que habían sido.

Eso la llenó de una enorme tristeza, seguida inmediatamente de una sensación de intenso poder, porque, en aquel momento, ella tenía tanto poder como él. Nada los acechaba. Tenían aquella noche. Entera.

Para lo que quisieran.

Después de tanto tiempo, ella era puro deseo y aprovecharía hasta el último minuto para satisfacerlo. Asió la base de la masculinidad de Rafe y se la introdujo aún más profundamente. Él la tiró del cabello y apartó su boca de él.

—Ya basta. Eso ya me lo habías hecho antes.

—¿Y te has cansado?

Él le apretó el centro del labio inferior con el pulgar.

—Volveré a tener tu boca ahí, después, no te preocupes. Pero, de momento, quiero estar dentro de ti –hizo una pausa y ladeó la cabeza–. ¿Me has dejado ahí también la marca del pintalabios?

Ella se puso colorada mientras lo examinaba.

–Sí.

Él emitió un sonido salvaje, animal, y se agachó para abrazarla por la cintura y hacer que se levantara. Anduvieron juntos hacia atrás y cayeron en la cama.

Él se quitó el resto de la ropa y los zapatos y la besó como si fuera un alma perdida camino del infierno y ella pudiera proporcionarle la salvación.

–Eres tan suave –dijo él abandonando sus labios para besarla en el cuello–. Tan cálida. Supongo que estarás sofocada por la excitación. Recuerdo que te pasaba, que tu pálida piel se ponía rosa desde las mejillas hasta el cuello –le apretó el cuello con el pulgar para sentirle el pulso–. Sí, y el corazón te latía deprisa, justamente así. Y después…–bajó la mano para agarrarle un seno y tocarle el pezón con el pulgar–. Sí, tenías los pezones muy sensibles y se te endurecían para mí.

Ella ahogó un grito cuando él se lo pellizcó suavemente, para después sustituir la mano por la boca y lamérselo antes de introducírselo en ella.

Era un exceso de sensaciones. Después de cinco años sin contacto físico, era demasiado. Pero él no tuvo piedad y, cuando ella dejó escapar un sollozo desgarrador, que no pudo evitar, en vez de disminuir la presión, le apretó con la mano entre los muslos y se abrió paso entre los resbaladizos pliegues.

Con el pulgar, le acarició el clítoris en círculo al tiempo que le introducía el dedo medio. Ella se sintió en el paraíso. Después, él añadió otro dedo. Eso no lo había hecho nunca, debido a su deseo de preservar su inocencia. Pero nada de eso iba a suceder aquella noche.

Afortunadamente.

Ella cerró los ojos y dejó caer la cabeza hacia atrás. No hizo caso del incómodo bulto del cabello recogido ni de las horquillas que se le clavaban en el cuero cabelludo. Le daba igual. Todo le daba igual, salvo la intensidad del placer, que la quemaba como una hoguera.

Supo que el clímax se aproximaba, pero quería posponerlo todo lo que fuera posible, prolongar aquel hallarse al borde del abismo hasta que fuera incapaz de seguirse resistiendo. Eso era lo que también quería cinco años antes: prolongar su tiempo con Rafe, ya que, cuando estaba satisfecha, él se marchaba. Quedarse demasiado tiempo era un riesgo que no podían correr. Así que ella había aprendido a resistir, a hallar placer en la exquisita tortura que suponía negarse la satisfacción.

Para disfrutar de las caricias de Rafe más tiempo, de sentirse perdida, de dejar de ser Charlotte Adair, hija de un famoso delincuente, para convertirse en un ser compuesto totalmente de placer, de deseo.

Pero hacía demasiado tiempo y aquello era excesivo. No podía seguirse conteniendo ni un segundo más. Así que se dio por vencida y se lanzó de cabeza a aquella piscina de placer, a aquella liberación que solo Rafe le proporcionaba. No respiró ni pensó durante un largo periodo de tiempo, sino que se vio reducida a puros latidos de satisfacción que la bañaban como las olas del mar cubrían las rocas.

Cuando hubo concluido, miró a Rafe, que tenía los ojos cerrados.

Después, él se llevó la mano a los labios y se metió en la boca los dos dedos que habían estado dentro de ella. Un fuego salvaje se propagó por el interior de Charlotte. No sabía si era vergüenza o un deseo de una intensidad que nunca había experimentado. Había vergüenza, desde luego, ante un acto tan carnal.

Sin embargo, lo entendió, porque, ¿acaso ella no se había sentido impulsada a probar el sabor de él? Quería algo más que lamerlo. Lo quería a él por entero. Pero Rafe tenía razón. Ya tendrían tiempo.

Rafe la agarró de las piernas y se las separó mientras se arrodillaba frente a ella. Su parte más masculina sobresalía de su cuerpo, gruesa y orgullosa y, por primera vez, intimidante.

Las veces anteriores que había estado con él no esperaba que la penetrara como estaba a punto de hacer.

Siempre le había gustado su masculinidad, sentirla en la mano.

Y, estúpidamente, había creído que no se pondría nerviosa esa noche porque, ¿acaso no conocía su cuerpo? ¿No habían estado desnudos muchas veces? Lo había tenido en la boca y le había dado placer con la mano, lo cual le había proporcionado la falsa sensación de ser experimentada.

Una sensación que, desde luego, ya no sentía.

Él la agarró de la nuca y la levantó del colchón para besarla en la boca. La atrajo hacia sí y le enlazó las piernas en su cintura para situar su masculinidad en el punto en que ella más lo deseaba.

Con el otro brazo le rodeó la cintura con fuerza aplastándole los senos contra su pecho. Ella sintió su corazón latiendo a toda velocidad. Eso la tranquilizó, el hecho de darse cuenta de que él también sentía todo aquello. Aunque pareciera duro, distante y sereno, su cuerpo indicaba lo contrario.

No hablaron más. Él no le dio más órdenes. Solo había un deseo sin freno que él vertía en el cuerpo de ella como si la ungiera.

Él deslizó la mano hacia la parte inferior de la espalda de ella y siguió bajando hasta agarrarle las nalgas y apretárselas al tiempo que la levantaba hacia él y el extremo de su masculinidad hallaba la entrada de su cuerpo.

Ella no podía respirar. Comenzó a protestar, a decir que no estaba preparada, que no creía que pudiera acogerlo por entero en su interior, al menos si él no iba despacio. Pero, antes de que pudiera acabar, él adelantó las caderas y la penetró con una fuerte embestida.

Le hizo daño. Se le llenaron los ojos de lágrimas, se mordió el labio inferior con fuerza y esperó a que la sensación de escozor desapareciera. No tardó en hacerlo, porque ella estaba muy húmeda y porque había algo delicioso en la forma en que él la llenaba, a pesar de que fuera una sensación desconocida y dolorosa.

En la vida, muchas cosas eran dolorosas, pero no eran ni la mitad de hermosas. Aceptó el dolor de buena gana porque, por fin, estaba unida a Rafe como siempre había soñado.

Él se había quedado paralizado. Tenía el rostro como el granito y en sus ojos ciegos había una expresión helada, pero no dijo nada. Al final, cerró los ojos y echó la cabeza hacia atrás. Despacio, sin separarse de ella, la tumbó en el colchón y la penetró aún más profundamente mientras bajaba la cabeza y la besaba suavemente en los labios.

La única delicadeza fue aquella. Y desapareció en un instante.

La agarró de las caderas con firmeza mientras la seguía embistiendo con fuerza. Ella cerró los ojos. Estaba contenta. No quería que aquella fuera una unión lenta y suave, porque ellos nunca lo habían sido. Los cinco años anteriores parecieron encogerse para, después, desaparecer por completo, mientras el cuerpo de él se encontraba con el de ella deprisa, furiosa y profundamente.

Ella lo asió por los hombros y le clavó las uñas. Los dedos de él, sin duda, le estarían haciendo cardenales en la piel tan blanca. Era lo que deseaba, quedar marcada, alterada de un modo visible.

Así, cuando al día siguiente volviera al piso para el que acaba de firmar los papeles, al sitio que sería suyo, y se mirase al espejo vería cómo le había cambiado el cuerpo.

Quería sentir dolor entre los muslos, ver la huella de las manos de él en donde la había agarrado. Quería que aquello la destruyera, la destrozara, para renacer de sus cenizas, en vez de limitarse a salir de su escondite con docilidad y sin hacer ruido.

Él le susurraba cosas al oído en italiano, su lengua

materna, palabras que no entendía, que no había oído, lo que le garantizaba que eran obscenas.

Eso le produjo una gran excitación. Levantó las manos desde los hombros de él para agarrarle el rostro con firmeza y sostenerlo, antes de bajarle la cabeza para que sus frentes se tocaran.

Ella mantuvo los ojos abiertos para ser testigo de aquello, ya que él no podía hacerlo.

De todos modos, sus ojos oscuros la traspasaron. Y estuvo a punto de jurar que, aunque él no veía los rasgos de su rostro, era capaz de verle el alma.

El ritmo entre ambos se volvió frenético, desesperado. Y ella se aferró a él mientras se perdía en aquel vaivén, en Rafe.

Apretó sus labios contra los de él y comenzó a decirle cosas que entendía tan poco como las palabras en italiano que él acababa de pronunciar. Exigencias desesperadas, promesas, súplicas… Le dijo cosas que en su vida había manifestado en voz alta, pidiéndole más.

No solo era la sensación física, estar unida a él… Era algo más. No satisfacía un deseo, sino que revelaba cuán profundo era. Estar unida a alguien, ser deseada y desear a la vez.

El placer se extendió por ella como un alambre que la recorriera de los pulmones a los dedos de los pies. Tuvo la sensación de que era lo que mantenía sus miembros unidos. Y que, cuando se rompiera debido a la tensión creciente, ella se haría pedazos que no podrían recomponerse.

Al igual que años antes, luchó para que no llegara

el final, pero se dio cuenta de que no podía seguir conteniéndose. La mente comenzaba a nublársele y los pensamientos se le volvían borrosos. Le era difícil recordar por qué quería retrasar el placer lo más posible, saber dónde se hallaba y por qué temía que llegara el final.

Pero no había olvidado con quién estaba.

Era Rafe. Solo podía ser Rafe.

Entonces, él lanzó un gruñido y le mordió el cuello mientras la embestía sin piedad ni consideración. Y ella se deleitó en ello y se dejó llevar, al igual que había hecho él.

Volvió el rostro y lo apoyó en el hombro masculino mientras alcanzaba un clímax inimaginable. Nunca había experimentado nada igual, nada como perder el control con él.

En la habitación de la torre, habían intercambiado placer: la mano de ella, la de él; la boca de ella, la de él. Pero nunca habían acabado juntos. Ella nunca lo había sentido latiendo y derramándose en su interior.

Era perfecto. Lo era todo.

Y se había acabado. Al menos, esa era la idea.

Se suponía que aquello era la satisfacción definitiva, la que llevaba cinco años esperando. Sin embargo, cuando la tormenta pasó, quería más. Deseaba a Rafe.

Él se apartó y se tumbó de espaldas jadeando.

—¿Te importaría explicármelo?

—No me imaginaba que, a estas alturas, hubiera que explicarte los hechos básicos de la vida —contestó ella, que necesitaba poner un escudo entre ambos porque se sentía vulnerable, expuesta y desnuda, cuando antes todo le había resultado tan fácil.

—Sabes que no me refiero a eso.

—Tenemos una química extraordinaria. Siempre lo hemos sabido. Arriesgamos nuestra seguridad para explorarla, si te acuerdas.

—Supongo que no estás casada.

Ella frunció el ceño y recordó que él le había mencionado a su esposo en el baile. Todo le había resultado borroso allí, al enterarse de que a los dos los habían engañado su madrastra y su padre. Después, se había perdido en el placer.

El placer era un increíble elemento de distracción.

—No. Supusiste que lo estaba y no te contradije. Y, sinceramente, con todo lo que estaba sucediendo, no lo pensé.

—Y eras virgen.

—Los últimos cinco años no han sido, precisamente, una escalada de éxitos para mí.

Él soltó una risa dura y oscura.

—En cambio, para mí, han sido un paseo por el parque.

—Lo siento. No debí haberte dicho eso. Me escapé.

Él frunció el ceño.

—¿Te escapaste?

—Mi padre me secuestró e intentó venderme a mi futuro esposo, cuando me negué a ir de forma voluntaria, incluso después de que me dijera que me habías abandonado. Supongo que creyó que, al no estar tú, no tendría motivo alguno para negarme. Pero fíjate, aunque parezca mentira, me negué a casarme con un gánster.

Rafe se sentó en la cama.

–¿Tu padre intentó venderte?

–¿Te sorprende? Hablamos de un hombre al que ocultamos nuestra relación para que no nos matara a los dos.

–Pero, al final, resultó que lo sabía, pero no nos mató.

Ella asintió.

–No entendí por qué.

–En mi caso, sé que, en parte, se debió a que yo ya había llamado bastante la atención –había algo extraño y opaco en sus palabras, pero en aquel momento, no lo analizó.

–Y te fuiste.

–Cuando me dijeron que habías decidido casarte con otro, no hallé razón alguna para quedarme –dijo él.

–Pero no era cierto. Me obligaron a marcharme. Y me escapé. Llevo cinco años escondiéndome. He seguido justamente la táctica contraria a la tuya. Tú te volviste más visible mientras yo me hacía invisible, lo cual no me resultó difícil, ya que había pasado los años anteriores oculta en la finca.

La expresión de él era aterradora.

–Si tu padre no estuviera muerto, lo mataría con mis propias manos. Es uno de los pocos pecados que no he cometido.

–No habría merecido la pena que arruinaras tu vida por él –ella parpadeó con los ojos llenos de lágrimas–. Da igual. Nos hemos librado de él.

–Sí, y todavía nos queda toda la noche.

–Sí –se inclinó hacia él y lo besó en la boca–. Así es.

Y después de aquello, ella se encontraría a sí misma, hallaría la libertad.

Por fin. Aquello era el final.

El final que ambos necesitaban para poder empezar a elegir por sí mismos.

Capítulo 5

TIENES el informe que te pedí?

Hacía semanas que Charlotte se había marchado del ático y, de nuevo, de su vida. Esa vez, así lo habían acordado. Sin embargo, Rafe estaba inquieto. Se decía que era porque le preocupaba la seguridad de ella. Al fin y al cabo, llevaba cinco años viviendo en cabañas en el bosque y en pueblecitos, y ahora tenía que desenvolverse en Londres.

No sabía por qué le importaba. Lo que sentía por ella ahora era distinto, después de haberse enterado de que no lo había abandonado. El sentimiento de culpa se había adueñado de él por haber creído a su madrastra a pies juntillas.

Sin embargo, haber ido a buscarla le hubiera resultado difícil. Había tardado meses en curarse de las heridas. Y luego estaban aquellas de las que nunca se curaría. Para entonces, estaba seguro de que ella ya se habría adaptado a su nueva vida.

Y no se le ocurría nada más triste que desempeñar el papel del novio herido y rechazado que se arrastraba ante la mujer que lo había abandonado por voluntad propia.

Pero debería haber sabido que no podía ser así.

—Sí, señor Costa, tengo el informe que me pidió, aunque me parece que, en buena medida, viola las leyes de protección de la intimidad.

Rafe lanzó un hondo suspiro mientras se cambiaba el teléfono de una oreja a otra.

—Sin lugar a dudas, pero eso no es asunto mío. Además, por eso pago a otros para que me consigan la información y no a ti, Alyssa.

—Bueno, está todo aquí. ¿Se lo mando por correo electrónico?

—Por favor.

Rafe dejó de hablar con su secretaria y se volvió hacia la ventana del despacho. Le habían dicho que ofrecía una vista panorámica de Londres; el Támesis, el London Eye, el Big Ben y la abadía de Westminster. Una vista de ese calibre indicaba un estatus elevado. Solo los pobres mortales de otra situación económica debían conformarse con ver aquellos edificios emblemáticos desde abajo, a trozos, en vez de poder contemplar la realidad de la ciudad en su totalidad.

Era cierto que él no la veía, pero estaba allí, y se enorgullecía perversamente de poseer aquella vista panorámica y no poder verla.

Era un exceso que lo apaciguaba. Indicaba el poder que tenía, como también lo hacía su capacidad de vigilar a Charlotte. Ahora que ya no se escondía, era muy fácil seguirle la pista.

Había conseguido su dirección con suma facilidad y había pedido a su contacto que lo informara de cualquier otro dato sobre ella que fuera relevante y que él pudiera seguir en Internet.

Le encantaba la tecnología. Había conseguido su fortuna gracias a ella. Pero lo que más le gustaba era que tuviera puntos flacos. Cuando algo estaba escrito en papel, era mucho más fácil que estuviera seguro, pero, en el momento en que algo se introducía en la Red, cabía la posibilidad de que saliera a la luz, de que lo obtuvieran quienes no debían verlo.

Le vibró el móvil y apretó los dientes, molesto, cuando sonó el tono específico que tenía para su amigo el príncipe Felipe. Su majestad y un pesado.

Suspiró antes de responder.

—¿A qué debo el honor? —preguntó comenzando a fingir.

—Espera un momento —contestó Felipe.

—Eres tú quien me ha llamado —dijo Rafe empezando a perder la paciencia, algo frecuente en él desde el momento en que Charlotte se había ido del ático.

—Así es, pero es que estoy llamando también a Adam.

El príncipe Adam Katsaros era su otro amigo del colegio privado al que le había mandado Michael Adair. Había sido la época más feliz de su vida. Había estado solo, pero disponía de los medios necesarios para sobrevivir.

Claro que había tenido un precio: el de ser esclavo de su tutor. Por aquel entonces, le había parecido razonable.

—¿Sí? —la voz de Adam sonó en la línea.

–Excelente –dijo Felipe–. Quería preguntarle a Rafe si nos va a informar sobre la mujer con la que se le vio saliendo de una fiesta, hace unas semanas.

Rafe apretó los dientes

–¿Eso es lo que quieres saber? ¿Por qué me llamas ahora, en vez de haberlo hecho hace semanas?

–Porque ahora necesito algo de ti y no estoy dispuesto a malgastar una llamada.

–Eso no es verdad –intervino Adam–. Malgastas llamadas telefónicas y hablas demasiado.

–Fascinante opinión –dijo Felipe–. A mi esposa le resulto encantador.

–Pues menos mal que te has casado con ella y no con uno de nosotros –afirmó Rafe con sequedad–. Al grano.

–Briar va a presentar una exposición dentro de un par de meses y quiero asegurarme de que acudirán mis influyentes amigos. Es una selección del trabajo artístico de mi pueblo y también de los primeros cuadros de ella. Por eso, debéis venir u os arrojaré a un calabozo la próxima vez que me hagáis una visita.

–Por mi parte no hay problema –observó Rafe–. Aunque, actualmente, mi capacidad para disfrutar del arte es muy limitada.

–Sí, pero, de repente, ha dejado de serlo la de disfrutar de mujeres hermosas. Un notable cambio con respecto a estos últimos años, ¿no? –le presionó Felipe.

–Todo apunta en esa dirección –dijo Adam.

–¿Y si los dos os preocuparais más de vuestro matrimonio que de mi vida sexual?

–Nos preocupas –afirmó Felipe– porque somos amigos de verdad.

Rafe masculló algo sobre que los amigos estaban sobrevalorados. Le sonó el ordenador y volvió al escritorio. Dejó sin voz el micrófono de la llamada y ordenó a la voz del ordenador que le leyera el correo electrónico.

Era largo. Charlotte había estado ocupada.

Siguió oyendo sin prestar mucha atención a Adam y Felipe mientras hablaban de la exposición que se llevaría a cabo en el país del segundo.

Pero dejó de prestarlos atención al seguir escuchando el contenido del informe sobre Charlotte. Había ido al banco, donde le habían entregado una importante suma de dinero. Él tenía acceso a todo, a su saldo y a la cuenta desde la que le habían transferido el dinero. Le sorprendió que su padre le hubiera dejado dinero en un fideicomiso.

Se preguntó si el anciano se habría olvidado de ello o si había sido un modo de ocultar parte de su dinero, para sacarlo antes de morir. Conociendo al padre de Charlotte como lo conocía, sabía que se consideraba inmortal en muchos aspectos. Y, desde luego, no pensaba que se moriría tan pronto.

También se mencionaban otras cosas de carácter más mundano en el correo: facturas de compras online sin ningún interés. Había comprado una lámpara de mesa y manoplas para el horno.

Había un último dato, una cita médica en una clínica femenina privada.

Era muy posible que fuera para hacerse una revisión. Muy posible.

Peo habían pasado semanas desde su encuentro. Y la primera vez él no había utilizado un preservativo. Ninguno de los dos pensaba con claridad. Además, ella era virgen, algo con lo que él no contaba, pero que le garantizaba que ella no empleaba ningún método anticonceptivo.

Una clínica femenina. Lo que eso implicaba fue abriéndose paso en su cerebro con la fuerza de un puñetazo. Felipe seguía hablando, pero Rafe no lo escuchaba.

La cita era esa tarde. Y la dirección estaba en el correo. Disponía de una hora para cruzar la ciudad y no estaba dispuesto a perderse aquello bajo ningún concepto.

—Tengo que irme. Acudiré a la fiesta, no te preocupes —colgó y llamó a su secretaria—. Que me preparen el helicóptero.

Charlotte entró en la clínica con las manos sudorosas. El corazón le retumbaba en el pecho y casi no podía respirar. Se había hecho en casa unas diez pruebas de embarazo, así que no esperaba nada nuevo de aquella cita médica, salvo la confirmación del resultado.

En una clínica como aquella era muy caro hacerse una ecografía temprana, pero no tenía médico de cabecera y había una larga lista de espera para ir al hospital, por lo que había hecho una búsqueda rápida en Internet y había decidido gastar parte del dinero de su padre en una clínica femenina privada.

Si verdaderamente estaba embarazada de Rafe, era divertido, en cierto sentido, gastarse el dinero de su padre para confirmarlo, aunque no hubiera nada más que tuviera la más mínima gracia en aquella situación.

Podía decirse a sí misma cuantas veces quisiera que el estrés y los cambios que se estaban produciendo en su vida le afectaban el ciclo menstrual. Pero la realidad era que había sido una fugitiva durante cinco años, con el miedo constante de que la encontraran, y el periodo no le había faltado ni un solo mes. Lo más probable era que se debiera a haber tenido sexo por primera vez en su vida y sin protección. Era algo en lo que no había pensado al marcharse del ático de Rafe.

Pasó por el mostrador de recepción y se dirigió a la sala de espera. Y el corazón estuvo a punto de estallarle.

Porque allí estaba él, en la clínica. Era imposible. Se había pasado cinco años huyendo de uno de los jefes más famosos del mundo criminal y no la habían encontrado.

Pero Rafe estaba allí, por lo que tenía que saber lo que sucedía.

—¿Qué haces aquí?

Él se volvió hacia su voz.

—Podría hacerte la misma pregunta, pero me temo que ya lo sé.

—He venido a hacerme una citología.

—Lo dudo.

—Señorita Adair —Charlotte se volvió hacia la enfermera que se hallaba en el umbral de la puerta—. El doctor Schultz la verá ahora.

—Voy a acompañarla —dijo Rafe levantándose de la silla. Agarró el bastón, negro y con la punta de plata, y echó a andar hacia la enfermera.

—Desde luego que no —dijo Charlotte sin levantar la voz.

Él se desvió hacia ella muy deprisa.

—No montes una escena, *cara mia*, porque no te gustará cómo va a acabar.

Ella estaba demasiado atontada para seguir protestando, a pesar de que habría debido hacerlo. Habría debido gritar y volcar el ficus que había al lado de la puerta. Entonces, tal vez alguien lo hubiera detenido. Pero ¿quién? ¿Quién iba a enfrentarse a Rafe Costa, el poderoso y multimillonario empresario? Y aunque no supieran quién era, su altura y corpulencia los disuadirían.

Charlotte se dio cuenta de que allí no tendría un aliado.

Recorrieron un pasillo que ella supuso que conduciría a la consulta. Le pareció que las paredes se le caían encima.

Y se preguntó por qué había intentado ocultarle aquello a Rafe. Era su hijo. No había nadie más. Nunca lo había habido.

La reacción inicial de no decirle nada había sido debida al pánico. Pero ya que él estaba allí, ¿no se merecía saberlo?

Era cierto que su propio padre había desempeñado el papel del malvado en su vida. Sin embargo, sabía que Rafe no era malvado.

Tal vez no hubiera bebé alguno, lo cual estaría bien, ya que ella estaba empezando a averiguar lo que deseaba, después de haberse pasado la vida escondida.

Comenzaba a averiguar quién era Charlotte Adair por sí misma, sin un grupo de hombres buscándola. No tenía ni idea de lo que haría si debía descubrir quién era mientras intentaba averiguar cómo ser madre.

Ni siquiera había tenido a un bebé en brazos. No había habido niños en la finca de su padre, salvo ella.

Había visto a otras mujeres empujando cochecitos mientras trabajaba en tiendas. Las había observado secar a besos lágrimas de mejillas regordetas. Y se había preguntado cómo sería tener a alguien a quien querer y que te correspondiera.

La idea le oprimió el pecho. Pero también le dolía el corazón por la imposibilidad de todo aquello.

Y allí estaba Rafe, que se alzaba imponente detrás de ella.

Le dieron un botecito de plástico y le enseñaron dónde estaba el servicio. Entró en él con las mejillas ardiendo. Y mientras hacía lo que debía hacer intentó no pensar en que Rafe sabía para qué era el bote.

Salió del servicio y entró en la consulta. Y la enfermera los dejó solos.

—¿Cuándo ibas a decírmelo? —pregunto Rafe en cuanto la enfermera hubo salido.

—Iba a esperar, desde luego, a tener la confirmación de un profesional. Pensándolo bien, es ridículo comprar algo en un supermercado que nos comunica algo tan esencial y confiar en que la información sea correcta.

—Ya. ¿Y cuántas pruebas has comprado y te has hecho?

—No lo sé. Puede que diez.

—Ya —Rafe apretó las mandíbulas. Su expresión era sombría—. ¿Y qué dicen las pruebas, Charlotte?

—Que estoy embarazada —contestó ella con voz apagada.

Llamaron a la puerta y entró el doctor Schultz. Una vez preparada, Charlotte se halló mirando una pantalla mientras el médico llevaba a cabo la ecografía.

—No hay mucho que ver todavía —dijo el médico observando la pantalla—. Pero se puede confirmar la viabilidad.

—¿Qué se ve? —preguntó Rafe desde un rincón.

—Todavía nada —contestó el doctor.

—Solo líneas negras —dijo Charlotte en voz baja.

En ese momento, la imagen de la pantalla cambió y ella vio un levísimo movimiento.

Sin poderlo evitar, soltó una risita, la reacción más extraña que podía haberse imaginado ante algo así.

—¿Qué pasa? —preguntó Rafe.

—Algo se ha movido —contestó ella mirando al médico.

—Sí —dijo esto al tiempo que modificaba algo y subía el volumen, de modo que un sonido acuoso llenó la habitación. Y por encima se oía un rítmico susurro–. Es el latido del corazón.

Charlotte miró a Rafe, que había palidecido. Entonces, se oyó un segundo susurro, similar al anterior. Ella volvió bruscamente la cabeza hacia la pantalla y miró al médico.

–¿Eso es…?

–Un segundo latido –respondió este–. Enhorabuena. Son gemelos.

Las palabras del médico seguían resonando en los oídos de Rafe cuando este se hubo marchado y Charlotte se vestía. Oía el sonido de la tela en un rincón. Ella estaba callada.

El negro infierno en que vivía pareció cerrarse en torno a él. La leve distinción que efectuaba entre luz y oscuridad desapareció en ese momento.

Gemelos… Charlotte iba a tener gemelos.

Y él, que no había tenido padre y que no tenía ni idea de cómo serlo, tenía que saber qué hacer.

No veía. Nunca vería a sus hijos. ¿Cómo iba a cuidarlos?

«Con niñeras, por supuesto. Para eso está el dinero», se dijo.

Oyó que Charlotte se movía bruscamente y se dio cuenta de que había hablado en voz alta.

–Dudo que necesite a una niñera –dijo ella en tono seco.

–¿No querías a la tuya? –a él le gustaba mucho la suya, lo que recordaba de ella.

Solo había vivido así cinco años, una vida en que había vestíbulos de brillante mármol, niñeras y toda la comida que pudiera desear. Pero, hasta donde recordaba, había sido feliz.

Ella se echó a reír.

—Claro que sí, era una mejora con respecto a mi padre y a mi madrastra. Supongo que mi madre me habría cuidado bien, pero no sé nada de ella, ya que murió al dar a luz y mi padre no hablaba de ella. Siempre he creído que Josefina ya era su amante antes de la muerte de mi madre. Lo único que ella tuvo que hacer fue cambiar de habitación y obtener el título oficial.

—Entonces, las niñeras no están tan mal.

—Pero no las necesitaré. En algún momento tendré que ponerme a trabajar, porque el dinero que me ha dejado mi padre, de forma intencionada o no, no me durará eternamente, pero bastará durante un tiempo.

—Pareces decidida.

—Lo estoy —afirmó ella dando dos pasos hacia Rafe. Las suelas de sus zapatos tenían un sonido característico.

El volvió a maldecir haber perdido la vista, porque le gustaría mucho ver cómo reaccionaba ella en realidad, no con aquellas palabras valientes y cuidadosamente elegidas. Deseaba verle el rostro, si estaba pálida, si parecía asustada, como se temía que lo estuviera.

Él se había organizado la vida a su gusto, por lo que rara vez pensaba en la vista perdida. Sin embargo, Charlotte, la parte de su pasado que representaba, le traía recuerdos de lo que era tenerla en sus brazos, contemplar su pálido cuerpo y acariciarle el dorado cabello.

Imágenes de ella en un campo a la luz de sol, que iluminaba su belleza.

Y eso establecía un agudo contraste con lo que era estar con ella en aquel momento, sin poder verla; con lo que era tener el futuro, sus hijos, cerniéndose sobre él y ver únicamente oscuridad.

—Yo también estoy decidido —se levantó y se dirigió hacia ella con el brazo extendido. Notó que ella vacilaba—. Por favor, dame la mano. Me sería de ayuda en este entorno desconocido.

No era estrictamente mentira, pero tampoco verdad.

Ella le dio la mano y él dejó que lo condujera hacia la puerta, que podía haber encontrado solo.

—¿Has venido en taxi?

—Sí —respondió ella—. No me siento muy bien y no quería meterme en el Metro.

—Yo nunca lo uso. Pero normalmente no tengo que preocuparme del tráfico. ¿Adónde vas?

—A casa.

Él había decidido que ella no iba a ir a su casa. Y él ya había acabado en el despacho, pero no iba a decírselo.

—Tengo un helicóptero. ¿Crees que se podrá aterrizar en tu edificio?

Por su silencio, se dio cuenta de que había logrado sorprenderla, lo cual le resultó gratificante.

—Verás, no pedí un aparcamiento de helicópteros cuando me mudé.

—Un descuido.

—No tienes que llevarme en él.

—Permíteme que te acompañe. El piloto sabrá dónde aterrizar cerca de tu casa —la verdad era que daba igual que lo supiera o no.

—Rafe…

—Me han dicho que la vista de Londres es espectacular. Yo no puedo verla, claro, pero estaría bien que uno de los dos lo hiciera.

Si hubiera tenido un resto de conciencia que fuera algo más que la comprensión teórica de la diferencia entre el bien y el mal, se habría sentido culpable. Pero no lo tenía, así que no sintió nada.

Ella lanzó un profundo suspiro.

—De acuerdo. Nunca me he montado en un helicóptero ni en un avión.

—¿Estás nerviosa?

—No —contestó, perpleja ante la pregunta—. Claro que no.

Subieron a la azotea del edificio, donde los esperaba el helicóptero. Él la ayudó a montarse en él y la siguió. Se puso los cascos y agarró los de ella, mientras el rotor comenzaba a girar produciendo un ruido ensordecedor.

Sabía que ella no oiría las instrucciones que iba a dar al piloto.

—Al castillo.

Entregó los cascos a Charlotte. Pronto se percataría de lo que sucedía, cuando el vuelo los llevara por encima del mar y tardara más de una hora. Pero, a menos que ella se lanzara desde el helicóptero, lo cual dudaba mucho, ya sería tarde.

Ella tardó un rato en darse cuenta. Él no estaba seguro de lo que se veía desde el aparato, pero supuso que estaban dejando Londres atrás cuando ella habló.

—Mi piso está en dirección contraria.

—Me gusta el inglés que hablas, una mezcla de inglés británico y americano. Si no recuerdo mal, tu italiano también es muy bueno.

—Me parece muy bien, pero eso no tiene nada que ver con lo que te acabo de decir.

—Es que no me preocupa lo que me acabas de decir.

—¿No te preocupa que el piloto se haya perdido?

—No se ha perdido. Se dirige a donde le he dicho.

—¿Adónde?

—Vamos a mi castillo de Alemania, *cara mia*.

—Acabo de huir de Alemania –dijo ella con brusquedad–. ¿Por qué iba a querer volver?

—Parece que tienes buenos recuerdos de allí. Me resulta increíble que hayamos estado en el mismo país sin saberlo– se recostó en el asiento. A medida que el vuelo continuaba, se sentía más tranquilo, porque ya había ganado–. Me enteré de que vendían un castillo y no pude resistirme a la tentación. Al fin y al cabo, mis dos mejores amigos forman parte de la realeza, por lo que no quería sentirme excluido.

—¿Qué más da? Ni siquiera puedes verlo.

Le escupió las palabras, que él recibió como una bofetada. Le gustó que ella fuera fuerte, a pesar de que la hubiera criado un loco que tan pronto la utilizaba como un peón para reforzar su imperio como la abrazaba.

—Sí, pero me complace saber lo que me rodea. De todos modos, debes saber que un castillo posee un determinado ambiente que un edificio moderno no puede imitar. De hecho, diría que ese ambiente es más importante para alguien como yo que para alguien como tú. Percibo la historia cuando paseo por las estancias, aspiro el olor de su antigüedad, de los libros. La construcción moderna carece de textura. En el castillo la hay por todas partes. Siento el aspecto que tienen las paredes.

—¿Por qué me llevas allí?

—Porque sí. Creo que ya he perdido demasiadas cosas en la vida para arriesgarme a perder también a mis hijos. Ambos sabemos que no ibas a decírmelo, aunque no entiendo por qué. Pensaba que habíamos llegado a una especie de acuerdo, de entendimiento. Yo no te abandoné ni tú me abandonaste. Sin embargo, sigues tratándome con desconfianza.

—Dijo él mientras la llevaba secuestrada en un helicóptero.

Rafe rio y se recostó en el asiento.

—Pero no te había secuestrado antes.

—Trabajabas para mi padre. Ya sabes que eso dice muy poco en tu favor.

—No te importaba cuando tenías dieciocho años y me dejabas ponerte la mano entre las piernas. Y, desde luego, tampoco te importó hace unas semanas cuando me rogabas que…

—Ya basta —dijo ella entre dientes.

—Tendremos mucho tiempo para hablar los próximos meses. Así que, de momento, me callaré porque, más adelante… más adelante nos veremos las caras, te lo aseguro.

Capítulo 6

HORAS después, Charlotte seguía como atontada, sentada en un dormitorio en lo que se diría un castillo de cuento de hadas. El helicóptero había aterrizado en un claro de un hermoso bosque y los había dejado allí.

Después, como si lo hubiese convocado la fuerza del magnetismo de Rafe, un coche se había detenido al borde de los árboles y los había llevado hasta la cima de una montaña por un sinuoso camino de tierra, que parecía excavado en un costado.

El castillo era maravilloso, envuelto en oro, con torreones espectaculares que se elevaban hacia el cielo. Parecía construido directamente sobre una roca o colocado directamente en la cima de la montaña.

Al menos había un camino. Charlotte se imaginaba, que de no haberlo, sería imposible escapar de allí, como si el castillo y sus moradores estuvieran atrapados por una suerte de encantamiento.

No parecía haber un pueblo en kilómetros a la redonda. Al menos, ella no había visto ninguno antes de aterrizar ni de camino al castillo.

Era… era un lugar muy aislado. Y ella no tenía sus cosas consigo, solo el bolso, que al menos contenía su carné de identidad y las tarjetas de crédito.

Sin embargo, como le parecía haber retrocedido en el tiempo, no creía que le fueran a resultar de mucha utilidad.

Se levantó y se dirigió a un hermoso tocador con incrustaciones de jade, jaspe y obsidiana, forrado en oro. Se miró en el espejo y se quedó asombrada del ridículo contraste creado por su reflejo.

El cabello se le escapaba del moño y tenía el rostro tenso y pálido. Los vaqueros y el jersey negro de cuello alto resultaban escandalosamente informales en aquel entorno tan formal.

En realidad, parecía poco preocupada para ser víctima de un secuestro. Frunció el ceño. No era la primera vez que la secuestraban. Hacía tiempo que había aceptado que su vida no era normal. Pero aquello… aquello era pasarse de la raya.

Llamaron a la puerta y ella cruzó la habitación para abrirla solamente una rendija y ver quién era.

—¿Sí?

Era una mujer desconocida.

—El señor Costa le pide que baje al despacho.

—Pues yo le pido al señor Costa que se tire a un lago, aunque me imagino que no se lo tomará muy bien.

La mujer la miró sin comprender. Charlotte lanzó un profundo suspiro.

—No tengo más remedio que ir, ¿verdad?

La mujer se encogió de hombros.

–Me parece que, si se niega, el señor Costa subiría y la bajaría en brazos.

–Sería muy propio de él –al menos del hombre en que se había convertido, bastante parecido a su padre, para el gusto de Charlotte. Un hombre que la retenía contra su voluntad si eso servía a sus fines. Eso a ella le resultaba más doloroso que saber que había perdido la vista.

Ese cambio se había producido en el alma de Rafe, lo cual era mucho más perturbador que cualquier cambio físico. En su opinión, una pérdida mucho mayor.

En lugar de discutir, se limitó a obedecer. Salió de la habitación y siguió a la mujer por laberínticos pasillos mientras acariciaba con la punta de los dedos las flores de lis doradas de las paredes.

A eso se refería él cuando había hablado de la textura de las paredes, de tener un mayor sentido del espacio en el castillo que en una habitación moderna. Su casa de Londres era muy amplia, y ella se imaginaba que le facilitaría las cosas en cierto sentido, ya que no había nada con lo que pudiera tropezar. Pero no podía negar el sentido del lugar, la riqueza que había allí.

Preferiría negarlo y pensar que él estaba loco, que lo había perdido por completo y que no quedaba nada del hombre al que había querido.

Por desgracia, no pensaba que fuera así. Era Rafe. Y era un hombre, no la persona, casi un niño, que había conocido. Había triunfado y era rico.

Ella había leído que el poder corrompía y lo había visto con sus propios ojos durante su infancia.

Lamentaba que Rafe no hubiera sido una excepción.

Negó con la cabeza. Debería haber dejado a Rafe en el terreno de la fantasía, lo cual habría sido mucho mejor para su pobre corazón, que ya estaba delicado tras tantos años de maltrato y abandono.

Podría haberse imaginado eternamente a Rafe como quisiera. Pero no, había tenido que ir a buscarlo, a pasar una noche apasionada con él, que había tenido consecuencias permanentes.

Y él le había demostrado que era un secuestrador.

La mujer se detuvo y se echó a un lado tras haber abierto una doble puerta azul, la del despacho de Rafe, que se hallaba sentado en un sillón frente a la chimenea.

—Gracias —dijo Charlotte a la mujer, que ya se desvanecía entre las sombras.

Suspiró y entró en el despacho.

—Me alegro de que hayas venido —dijo Rafe.

El corazón de ella se le aceleró y, cuando él la miró, se le paralizó. El modo en que las llamas le resaltaban el rostro era embriagador, fascinante.

Sus ojos parecían negros e indescifrables. La incipiente barba de su mandíbula cuadrada sería áspera al tacto, como ya sabía. Y sus labios… Unos labios que sabía por experiencia que se suavizarían bajo los suyos, para recuperar su firmeza cuando él tomara el control, cuando le separara los labios y le introdujera la lengua en la boca.

Sintió calor en el rostro y se mordió la mejilla intentando no hacer el ridículo al revelar que, incluso entonces, cuando él le había demostrado que era un canalla, lo seguía deseando.

—Bueno, al igual que a la hora de venir contigo al castillo, no me ha quedado más remedio.

—De todos modos, eres muy amable al comportarte, a pesar de todo, de forma educada.

—No sé por qué te importa. No me beneficia en nada, desde luego. No tengo mucha experiencia con hombres civilizados. Tú tampoco lo eres. Estás cortado por el mismo patrón que mi padre, al que le daba igual llevarme de un sitio a otro para conseguir sus propósitos. Enhorabuena.

El rostro de él se endureció.

—No me parezco a tu padre.

—Bueno, podrías haberme engañado, pero traerme a este castillo a la fuerza con la intención de obligarme a casarme…

Rafe se echó a reír y se levantó del sillón. Se echó a un lado y extendió la mano hacia el fuego, después dio un paso hacia delante con la mano extendida.

—Yo no he hablado de matrimonio, *cara mia*.

Ella parpadeó. Se sentía estúpida, porque era cierto que no lo había hecho.

—Bueno, como me has secuestrado como un delincuente porque voy a tener un hijo, no, dos hijos tuyos, he supuesto que planeabas legitimarlos.

Él se encogió de hombros con despreocupación e indiferencia.

—Yo no soy hijo legítimo, así que, ¿por qué iba a importarme que lo sean mis hijos?

Ella no supo qué responder. Había supuesto que,

ya que la había secuestrado, quería que se quedara con él.

—Esto no tiene nada que ver conmigo, ¿verdad?

Volvió a sentirse estúpida por hacerle esa pregunta, y vulnerable, como si él le viera el fondo del alma, como si contemplara todo lo que ella esperaba en el fondo de su maltratado corazón. Había cosas que sabía por lógica, cosas sobre él y la situación de ambos, que no era sana en ningún sentido.

—Tiene que ver con el poder —afirmó él en tono duro. Era lo que ella había pensado en el pasillo, lo que más temía.

Que él deseara tomar el control, significara eso lo que significara.

—¿Y tenías que traerme a este castillo para demostrarme tu poder? En serio, Rafe, si no hubiera visto lo que tienes debajo de la ropa interior pensaría que tienes complejo de inferioridad.

Él soltó una carcajada, lo que la sorprendió.

—No ibas a contármelo, ¿verdad?

—No lo sé —contestó ella con sinceridad—. No me había enfrentado aún a ello ni mental ni emocionalmente. Todavía no lo he hecho.

—No nos conocemos muy bien —afirmó él frunciendo el entrecejo.

—Te conozco mejor que a nadie —ella sintió que le ardía el rostro—. Al fin y al cabo, me has visto desnuda

—Ver a una mujer desnuda no significa que la conozcas, hazme caso. Obviamente, no fuiste la primera a la que he visto desnuda —sonrió compungido—. Aunque fuiste la última.

Charlotte no supo cómo tomarse sus palabras. No tenía claro cuándo se había producido el accidente con relación a la separación entre ambos. Pero debía de haber sido poco después, ya que no se lo imaginaba suspirando por ella si creía que lo…

—Rafe, ¿de verdad creíste que me había marchado a casarme con otro sin pensar en ti? ¿De verdad creíste que solo me estaba divirtiendo contigo?

—Es lo que hacen los ricos —contestó él con dureza—. Utilizan a las personas indefensas como peones en juegos cuyas reglas solo ellos conocen.

—Y pensaste que yo… pensaste que yo estaba haciendo eso contigo. ¿De verdad lo pensaste?

—No me lo creí hasta que fui a tu habitación y me encontré con tu madrastra. Era evidente que sabía lo nuestro, lo que implicaba que también tu padre lo sabía.

—Y te dijo que te había traicionado.

El dolor se aferró a la garganta de Charlotte. Con todas las cosas que se había imaginado en los años en que había estado apartada de él, al leer artículos sobre su éxito, no se le había ocurrido que lo hubieran inducido a creer que no solo lo había abandonado, sino que le había hablado de su relación a su padre.

Frunció el ceño mientras la invadía un frío glacial.

—¿Cómo te escapaste, Rafe? Mi padre no era un hombre comprensivo. Y sabíamos que estar juntos era arriesgado. No me imagino que te dejara…

—No me dejó escapar —dijo Rafe. Se apartó del fuego y echó a andar hacia ella—. La única razón por la que salí con vida de la finca de tu padre es porque creyó que me había matado. Y, cuando descubrió la verdad, ya no pudo hacer nada. Su intención era que saliera de allí en un ataúd y, en realidad, fue lo que hice.

Rafe no tenía la intención de contarle la historia a Charlotte tan pronto. Pero tampoco había razón alguna para no hacerlo. En un futuro inmediato, estarían allí, escondidos en el castillo. Su intención era quedarse allí hasta que ella diera a luz. Ya había contratado a un médico, al que había pagado una suma importante para que hiciera la vista gorda si ella le decía que estaba secuestrada.

¡Ah, el poder que proporcionaba el dinero!

Pero tenían tiempo, por lo que no había ningún motivo para ocultarle la historia. Era cierto que el mundo no la conocía, pero Charlotte podía hacerlo. Entendería perfectamente lo que le había sucedido a consecuencia de su relación.

Era verdad que ella había tenido que ocultarse durante cinco años, que lo había tenido difícil. Pero él había sufrido y perdido mucho.

Y ella había considerado la posibilidad de no hablarle de sus hijos, lo cual hubiera sido otra cosa que la familia Adair le hubiese robado. No lo aceptaría ni lo soportaría.

—Cuando trepé hasta tu habitación, tu madrastra me esperaba allí.

—Josefina es una víbora, siempre lo ha sido.

—Eso de la malvada madrastra es un cliché.

—Pues ella se lo tomó muy en serio.

—Me dijo que te habías ido, que habías confesado que iba de noche a tu habitación y que habías decidido casarte con Stefan, que te parecía más adecuado para una mujer de tu posición.

—¿Cómo pudiste creerla? —preguntó Charlotte en tono dolorido—. Te dije que me entregaría a ti, pero no me lo permitiste, a pesar de que estaba dispuesta a hacerlo.

—Porque yo entendía algo que tú no comprendías: que, aunque estuvieras dispuesta por aquel entonces, más tarde te arrepentirías de todo lo que habías dejado atrás, de lo que habías perdido. Yo no iba a poder ofrecerte inmediatamente una vida similar a la que tenías, Charlotte, pero estabas demasiado consentida para darte cuenta. No te imaginabas la vida sin una torre.

—Lo único que quería era una vida fuera de ella. No me hiciste ningún favor al pensar eso.

—Pues no te lo hice. Pero eso forma parte del pasado. Y esta conversación no nos lleva a lo que quieres saber: cómo me escapé.

Oyó que ella tragaba saliva y el frufrú de su ropa, y se preguntó si eso significaba que estaba inquieta. No estaba seguro de lo que llevaba puesto, por lo que no sabía cómo sonaría la tela al moverse.

—Cuéntamelo. Te prometo que no volveré a interrumpirte.

—Llegué y ella estaba allí, en el balcón. Me dijo

que llegaba tarde, que te habías ido. También me dijo que tu padre iba a mandar a sus hombres a ajustarme las cuentas y que probablemente saldría de allí en una bolsa para transportar cadáveres. Sonreía. Era grotesco. Disfrutaba con de mi dolor, amenazándome. Creo que tu padre le había echado la culpa de nuestros encuentros, supongo que porque ella era la señora de la casa y no se había percatado de que me colaba en tu habitación. Me dijo que no iba a consentir que destruyera lo que había construido, que no iba a consentir que fuéramos su perdición. Retrocedí un paso, miré hacia abajo, desde el balcón. Tenía que descender lo antes posible y tratar de escapar, porque ella estaba en lo cierto. Si los hombres de tu padre me encontraban, saldría de allí muerto. Pero mientras miraba hacia abajo, ella me empujó. No le estaba prestando atención porque, si no, no hubiera conseguido tirarme. Estaba a punto de volverme para bajar y ella utilizó ese impulso contra mí.

Oyó que Charlotte lanzaba un grito ahogado.

–¿Cómo sobreviviste?

–Fue un verdadero milagro y un misterio –contestó él en tono seco–. Sin duda contribuyó a ello que la caída la interrumpieran dos salientes rocosos y el seto que rodeaba la villa. De todos modos me herí gravemente en la cabeza, y la hinchazón me dañó la capacidad de ver. Durante un tiempo creyeron que la inflamación bajaría y que la vista se me corregiría. Ahora dicen que es muy poco probable.

–Pero no imposible.

—No gano nada pensando que puede ser posible, Charlotte. No creo en los milagros. Todo lo que he tenido ha sido fruto de mi esfuerzo y mis nudillos ensangrentados. Mi posición actual no es una excepción.

—¿Quién te ayudó a escapar?

—Pietro, uno de los hombres de tu padre, me encontró. Era mayor y parecía cansado de aquel trabajo. Había hablado con él alguna vez a lo largo de los años. Me hablaba de una mujer a la que había abandonado al llamarlo tu padre, al que debía un favor. Fue a la finca y nunca volvió a su casa. No volvió a ver a la mujer a la que quería.

—Es muy triste.

—Como ya sabes, la vida con tu padre era muy triste. Creo que Pietro deseaba recuperar algo real: la vida, el amor. Lo mandaron a recoger mi cuerpo y descubrió que todavía respiraba, a pesar de que tenía casi todos los huesos rotos y estaba inconsciente. Me salvó. Me cubrió con una sábana y le dijo a tu padre que iba a deshacerse de mi cuerpo. En lugar de ello, me llevó a un médico amigo suyo en el que me dijo que podíamos confiar. Aquel hombre me cuidó y me salvó la vida. Después, Pietro pagó para que me trasladaran a un lejano hospital, donde dependía por completo de desconocidos. Mi vida estaba en sus manos. Detesto sentirme impotente, pero no hay nada más impotente que un hombre destrozado y ciego que moriría si su jefe descubría que seguía existiendo. No sé qué fue de Pietro cuando se descubrió que, en realidad, yo no estaba muerto. Supongo que no acabaría bien.

Rafe suspiró al pensar en el hombre y su rostro lleno de profundas arrugas. Solo se relajaba al hablar de su amor, al que Rafe tenía la certeza de que no había vuelto a ver.

–Solo espero que sintiera… Me dijo que echaba de menos su humanidad. Espero que, cualquiera que fuera el precio que pagara al final, le pareciera que lo que había hecho se la devolvía de algún modo.

Oyó que ella se sentaba y el sonido del peso de su cuerpo le indicó que lo había hecho en el sofá.

–Rafe –dijo en voz queda–, ojalá lo hubiera sabido.

–¿Por qué?

–Porque habría ido a buscarte. Estaba oculta y solo pensaba en mí misma. No tenía motivo alguno para pensar que tenías problemas. Me habían dicho que estabas bien, que te habías ido, y no lo dudé.

–Así que habrías ido a buscarme, y luego, ¿qué? Habría sido mucho más fácil dar con nosotros estando juntos en un sitio. Y yo no habría podido salir a la luz si hubieras estado conmigo.

Sabía que no le habría importado. Años atrás, se habría arriesgado por ella.

Sin embargo, habría sido un error, porque no se había salvado gracias a Charlotte, sino al dinero y al poder. Tal vez el amor por el dinero fuera la raíz de todos los males, pero prefería poseer dicha raíz para cuidarla como quisiera, para manipularla para sus propios fines.

Había nacido sin poder y así había continuado hasta alcanzar la posición en la que se hallaba. Era irrefutable, innegable.

–Desearía haberlo sabido –se hizo el silencio entra ambos y él oyó que respiraba con dificultad–. Lo sentí mucho cuando me enteré. Y lo hice cuando comenzaste a destacar, a salir en la prensa, en la que decían que estabas ciego. Y supe que se debía a un accidente, al que los medios aludían, aunque sin dar detalles.

–No podía haberlos porque nadie sabía lo que me había sucedido. Cuando fui al hospital, no les conté la verdad. Y a no ser que tu padre decidiera comunicar su relación conmigo, no habría manera de que alguien se enterara.

–Fuiste inteligente al escapar así de él, por la fachada de respetabilidad que tenía. Sabía que no podía tocarte, al menos a la luz del día.

–Pensó que sería mejor dejarme en paz y que los dos fingiéramos no conocernos.

Él no oyó nada entonces, salvo el crepitar del fuego en la chimenea. Después oyó que ella se movía, que deslizaba los dedos por su piel y su cabello.

Lo hizo pensar en su cabello suelto, lo que lo excitó. Deseó aislarse del mundo exterior y volver a tomarla en sus brazos.

Borrar el pasado.

Pero no podía volver atrás. El sol estaba allí y él se hallaba hundido en la oscuridad.

–El dinero es la mejor forma de controlar el futuro, Charlotte –dijo en tono duro–. Es lo que se necesita para enfrentarse a las situaciones difíciles de la vida.

–Es cierto. ¿Para qué vas a hablar con alguien

cuando puedes meterlo en un helicóptero, llevarlo a un castillo y retenerlo hasta decidir lo que vas a hacer con él?

–No me ibas a hablar de mis hijos. No me ha quedado más remedio. No entiendes que me han manipulado muchas veces en la vida y que no volveré a tolerarlo.

Oyó lo agitada que estaba, que arrastraba los pies y cambiaba bruscamente de postura.

–¿Cómo te han manipulado?

–Creo que la hora de los cuentos se ha acabado –dijo él con dureza.

–Muy bien –él oyó sus manos caer sobre la tela–. No podré entenderte si no me dejas que lo haga. No puedo conocerte si no me cuentas lo que debo saber. Acabas de decir que no nos conocemos, pero no permites que lo haga.

–No es necesario, en la situación en que nos hallamos. Ya no somos niños jugando al amor. Vamos a tener hijos que vendrán a un mundo en que su padre no ve. No puedo dejar nada al azar, ni siquiera a ti.

–Entonces, no vas a confiar en mí. ¿No te crees que no voy a privarte de tus hijos?

–No –respondió él sin vacilar.

–¿Y no hay nada que pueda hacer para cambiarlo?

Él apretó los dientes con tanta fuerza que comenzaron a dolerle.

–Charlotte, solo confío en mí mismo, en lo que puedo manipular con mis manos. He comprobado que, a menos que controle algo por completo, no resulta como deseo. Lo he comprobado una y otra vez.

Sin añadir nada más, salió del despacho. Conocía la disposición del castillo mejor que cualquier otra cosa. Llevaba el mapa del lugar grabado en el alma. Era la misión que se había impuesto al comprarlo, crear un espacio de proporciones considerables por el que desplazarse con facilidad. Todos los miembros del personal tenían instrucciones muy precisas. Todo estaba pensado y colocado al milímetro, exactamente como en el mapa en braille que había memorizado al comprarlo.

No se podía mover nada. Nunca. Así había sido desde el principio. Pasaba en el castillo mucho tiempo y podía dirigir sus negocios desde allí. Y era lo que seguiría haciendo hasta que decidiera exactamente qué iba a pasar con Charlotte. Ella esperaba que la obligara a casarse con él, pero no veía qué ventaja podía suponerle eso.

El matrimonio solo era un papel del que uno podía prescindir con facilidad, que se destruía sin esfuerzo. Y Charlotte sabía desaparecer, así que necesitaba algo que fuera más seguro.

«Probablemente te habría bastado la seducción, si no la hubieras secuestrado».

Sonrió compungido por nada en concreto. En efecto, tal vez la seducción hubiera sido la mejor opción. No decía nada en su favor que hubiera recurrido primero al secuestro. Pero ya era tarde.

Eso lo hizo reflexionar.

Tal vez la seducción siguiera siendo la respuesta. Charlotte quería que confiara en ella, notar que podía dar su opinión en aquella situación, que poseía cierto control. Quería seguridad y certeza. Deseaba algo de lo que habían tenido en otro tiempo.

Había perdido esa parte de sí mismo a la vez que la vista, aunque nunca había sido una parte de sí muy importante. Ella era la única persona del mundo por la que se había interesado como lo había hecho. Así que, incluso entonces, su fe en el amor había sido más bien escasa.

Ahora había desaparecido por completo, pero eso no implicaba que ella tuviera que creer lo mismo.

El control: ese era el nombre del juego.

Siempre le había resultado muy inconveniente que fuera tan condenadamente difícil controlar a los demás. Por eso prefería que su vida se redujera a una serie de transacciones, en las que participaban él, por una parte, y sus empleados, por otra.

No obstante, su relación con Charlotte requeriría una táctica distinta.

Pero estaba preparado. La tenía justamente donde quería. Lo único que debía hacer era controlar su propio comportamiento y obtendría lo que deseaba.

Muchas cosas le resultaban difíciles, pero el control no era una de ellas.

Capítulo 7

CHARLOTTE se sentía ansiosa. Tras la conversación con Rafe la noche anterior, se había acostado, pero solo había dormido de forma intermitente. Se había levantado con mal sabor de boca y con la sensación de que un coche la había atropellado. Le dolía la cabeza y se sentía anquilosada. No sabía muy bien qué hacer.

En aquel castillo estaba terriblemente aislada. Y no era que no estuviese acostumbrada al aislamiento, sino que aquello escapaba a su control. Durante los cinco años anteriores, su aislamiento había sido autoimpuesto.

Ella decidía cuándo marcharse, dónde vivir y dónde trabajar. Y su relación con sus amigos estaba, por supuesto, cuidadosamente planeada.

Se suponía que aquello se había acabado, pero Rafe había aparecido y la había desarraigado. Además, iba a tener dos hijos suyos.

Era muy difícil conservar la calma cuando te llevaban a un castillo en helicóptero contra tu voluntad.

Iba a tener gemelos.

Se le encogió el corazón, al igual que el estómago.

Fue corriendo al cuarto de baño y llegó justo a tiempo de vomitar lo poco que había cenado la noche anterior. Salió de allí sudorosa y algo mareada.

Se vistió despacio con la ropa del día anterior. La noche anterior, antes de acostarse, una empleada le había proporcionado un pijama, pero no tenía nada más. Le habían dicho que pronto llegaría su nuevo guardarropa. Era la última de sus preocupaciones. Lanzó un profundo suspiro al mirarse al espejo. Estaba más pálida y descompuesta que el día anterior.

Vio que le habían llevado una bandeja con el desayuno. Frunció la nariz y pasó de largo. De momento, no tenía ganas de comer nada.

Bajó la escalera circular y se halló en una antecámara. Creía que estaba en la parte delantera del castillo, pero el lugar le resultaba un laberinto en el que no se orientaba. No comprendía cómo se desplazaba Rafe por él. A ella le resultaba difícil empleando todos los sentidos, pero él, aunque estaba privado de la vista, no parecía tener problemas.

Pero, como en el resto de las cosas, a Rafe le gustaba poseer el control, lo que implicaba que desplazarse por el palacio no podía ser difícil. Conociéndolo, era fácil deducirlo.

Se le desgarró el corazón al recordar lo que él le había dicho acerca de haber tenido que depender de otros después del accidente.

Para un hombre como él era horrible sentirse impotente. Verdaderamente, era uno de los peores destinos imaginables, aparte de la muerte. Había dependido de la amabilidad ajena para sobrevivir.

Incluso en las circunstancias en que se hallaba ella aquel momento, lo sentía por él.

Aspiró el olor del castillo y volvió a entender a qué se refería él al hablar del ambiente del lugar frente al de la arquitectura moderna. Era distinto. Se olían la antigüedad y las paredes. No era un olor desagradable, pero sí inconfundible.

En aquellos momentos, le resultaba demasiado fuerte. Se le habían afinado notablemente los sentidos durante la semana anterior, y, de momento, los olores la asaltaban.

Cruzó la antecámara y tomó un pasillo que conducía a una habitación formada únicamente por ventanas. La luz entraba a raudales desde el exterior como si lanzaran cubos de oro, lo que le proporcionaba luminosidad y calidez.

Entonces se percató de que lo que había en medio de la pared del fondo de la sala eran puertas, no ventanas.

Era lo que necesitaba, salir al exterior y despejarse la cabeza.

En ese momento, entró la mujer de la noche anterior.

—Señorita, el señor Costa la está buscando.

Por supuesto. El dueño deseaba verla, por lo que había mandado que fueran a buscarla y esperaba que lo obedeciera. Sin embargo, a ella no le apetecía.

—Pues el señor Costa tendrá que seguir buscándome un rato —dijo con obstinación. Sentía unas leves náuseas y, francamente, no estaba de humor.

—Creo que no es buena idea, señorita.

—Si el señor Costa quiere hablar conmigo, que salga al jardín.

La mujer se puso pálida al ver que alguien desafiaba al señor Costa.

—El señor no sale al jardín.

Pero Charlotte no iba a dar su brazo a torcer.

—Pues tendrá que esperar.

Se dirigió con paso decidido hacia las puertas y abrió una de ellas. Se dio cuenta de que llevaba mucho tiempo sin usarse, pero no era asunto suyo.

Rafe la había llevado contra su voluntad a un castillo alemán y no estaba dispuesta a ser una prisionera complaciente. Ya lo había sido durante mucho tiempo. Y aunque le dolía haber descubierto que Rafe se parecía mucho a su padre, sabía que no la iba a arrojar desde una torre del castillo por insubordinación.

Salió y cerró la puerta. Sintió el fresco aire otoñal.

Se hallaba en un jardín, que estaba muy descuidado.

Estaba lleno de maleza y abandonado. Había grandes estatuas de piedra en las que se enroscaban vides. Parecía que la naturaleza reclamaba aquel lugar para devolverlo a la tierra y reducirlo a polvo.

Soltó el aire y su aliento formó una nubecilla. Había un silencio absoluto, salvo por el susurro ocasional de las hojas de los árboles y el piar de los pájaros.

Solía encontrar consuelo en la naturaleza. Y aquel momento le recordó cuando había huido de los hombres de su padre y se había internado en el bosque, lo que ellos no se imaginaban que haría, ya que creían que estaba muy mimada para sobrevivir allí. No en-

tendían que lo único que la había mantenido cuerda
todo el tiempo que había estado prisionera en su propia casa habían sido los paseos por la finca, donde se
sentía menos vigilada por su padre.

Tomó un pequeño sendero lleno de maleza hasta
encontrar un banco de piedra. Se sentó, cerró los
ojos y dejó que la brisa le alborotara el cabello, que
llevaba recogido en el moño habitual.

No había tenido aún ocasión de hacer nada con él,
de cortárselo.

Había sido su intención después de la noche con
Rafe, pero no lo había hecho porque había estado
ocupada con el testamento y el piso. Su cabello no era
prioritario. Después había comenzado a sentirse mal
y había intentado averiguar la causa de su malestar.

Y después habían llegado las pruebas de embarazo y el médico. Y Rafe. Parecía que siempre volvía
a él.

Se sentía agotada, a pesar de que se acababa de
levantar. Estar embarazada era duro.

La cabeza comenzó a darle vueltas solo de pensar
en el embarazo y de que habría un bebé; mejor dicho, dos.

Llena de ansiedad, apoyó la cabeza en el banco y
la dura piedra le proporcionó un escaso consuelo.
Necesitaba descansar un momento. Después, tal vez
todo le resultara un poco más claro.

—¿Dónde está? —preguntó Rafe a Della, el ama de
llaves.

–Hace horas que salió al jardín. Nadie la ha visto desde entonces.

La ira se apoderó de él. Ella lo había desafiado antes y él se lo había consentido para no parecerle un tirano. Al fin y al cabo, quería seducirla, establecer un vínculo entre ellos, porque así podría controlarla de verdad.

Mostrándose airado con ella cada vez que lo desafiara no lo conseguiría.

Pero aquello no podía permitirlo.

–¿Y no se le ha ocurrido decírmelo antes?

–Perdóneme, señor –dijo ella, sin parecer en absoluto arrepentida–. No tenía claro si era su invitada o su prisionera. No se me ocurrió que no pudiera pasear por el jardín si no deseaba estar dentro del castillo.

–Existe el peligro de que huya –observó él en tono duro–. Y está embarazada de mí, por lo que su seguridad y conocer su paradero son de vital importancia para mí.

Della emitió un sonido de sorpresa, lo cual lo satisfizo

–¿Ha salido al jardín?

–Sí.

Podía mandar a un empleado a buscarla, pero no era lo que quería. Lo estaba desafiando claramente, por lo que debería aprender que no la había llevado allí para jugar.

Recordó que había llegado a la conclusión de que debía andarse con pies de plomo con ella, de que necesitaba seducirla, tanto emocional como físicamente. Pero se dejó llevar por la ira.

La había llevado a aquel sitio, que conocía mejor que ningún otro, y ella había ido a la zona que él no frecuentaba.

Se dirigió al solárium y lo cruzó hacia donde sabía que se hallaban las puertas, al otro extremo del mismo. Apoyó la mano para estar seguro de que era esa la salida y salió al jardín. Escuchó sin oír nada. Nada se movía, salvo el aire en las copas de los árboles.

No podía haberse escapado. Era imposible volver andando a la civilización. Además, le daba la impresión de que ella tenía náuseas por la mañana.

Asimismo, ella no sabía a qué distancia se hallaba el pueblo más cercano, lo cual era parte del problema. No conocía el lugar. Y cuando había huido de su padre...

Cerró los puños, incómodo ante la idea de comparar que hubiera huido de su progenitor, de un matrimonio no deseado, con aquello.

No iba a obligarla a hacer nada.

«No, te vas a limitar a manipularla para conseguir que lo haga».

Frunció el ceño y continuó caminando por el descuidado jardín con la ayuda del bastón para asegurarse de no pisar en terreno irregular. El bastón chocó con algo duro que sobresalía del suelo. Tal vez fuera una piedra o un ladrillo.

Podía llamarla y quizá contestara, lo cual serviría si ella no se estaba escondiendo de él. Pero sospechaba que lo estaba haciendo. Más que sospecharlo, estaba seguro. Lo invadió de nuevo la ira, acompañada de una sensación de impotencia. Detestaba no poder solucionar algo él solo, pero comenzaba a pensar que tendría que volver al interior del castillo a pedir ayuda.

Por suerte, su sentido de la orientación era muy bueno, por lo que sabía por dónde había llegado hasta allí. En su estado, era fundamental.

Se detuvo un instante a comprobar la dirección del viento. Levantó la cabeza y vio un círculo dorado, el sol. Notaba los cambios de luz, lo cual le resultaba útil.

Pero, en aquel caso, como Charlotte no estaba siguiendo una trayectoria natural, no le servía de nada. Le estaba poniendo las cosas difíciles.

Siguió andando por el sendero y el bastón chocó con algo duro. Lo levantó y le dio la impresión de que era un largo bloque de algo, probablemente de piedra, que tenía otro bloque puesto encima. Un banco. Lo más seguro era que se tratara de eso.

–¡Cuidado! –algo le agarró el extremo del bastón y él reconoció inmediatamente la voz de Charlotte.

–¿Charlotte?

Oyó que cambiaba de postura y, después, el susurro de las hojas.

–Me he quedado dormida. ¿Cómo me has encontrado?

Se sentía tan aliviado por haberla encontrado que las piernas estuvieron a punto de fallarle. Estaba contento de que ella no se hallara deambulando por el bosque, embarazada y sola.

–Te he seguido la pista por el olor –contestó él en

tono seco–. Ya sabes que, cuando se pierde la vista, los demás sentidos se desarrollan más.

–No me lo creo.

Él se encogió de hombros.

–Pues es verdad.

–Me creo que los demás sentidos se te hayan desarrollado, pero no que me hayas seguido la pista como un sabueso –él la oyó resoplar y frotarse la cara, y tuvo ganas de reírse porque esa imagen era divertida–. Yo no huelo –protestó ella.

Rafe lamentó no estar de acuerdo. Claro que olía. Por eso la había reconocido en la fiesta, por el dulce aroma floral que relacionaba exclusivamente con ella.

–Si tú lo dices...

–Necesitaba salir al aire libre.

–Charlotte, no puedes abandonar del castillo.

–Lo siento, Rafe, pero me marcharé si quiero. No me puedes retener.

–Claro que puedo, porque no sabrás dónde estás si te marchas.

Se produjo un silencio.

–No, eres tú el que no sabe con lo que te vas a encontrar fuera de los muros del castillo.

–Pues he encontrado muy bien el camino.

–Pero no conoces este terreno, y eso no te gusta.

–Charlotte…

–No soy un objeto que puedas manipular a tu gusto, Rafe. Nunca lo he sido. No entiendo cómo has podido hacerme esto sabiendo lo que me hizo mi padre.

El viento se levantó de nuevo llevando un olor a hojas mojadas y a nubes bajas.

–No soy tu padre.

–Pues te estás aproximando peligrosamente.

–Si fuera tu padre, estaría buscando la forma de castigarte por tu insubordinación. Él disfrutaba castigando a los demás.

Ella soltó una carcajada, un sonido cristalino que parecía poder quebrarse con facilidad. Y, si lo hacía, él tenía la sensación de que los cortaría a los dos.

–¿Crees que no lo sé? –preguntó ella con voz temblorosa–. Claro que a mí nunca me castigó físicamente. Yo era una baza para negociar, y él no quería estropear mi belleza. Pero me alejó de muchas cosas, del mundo exterior, asegurándome que, si alguna vez intentaba salir, sería incapaz de desenvolverme sola. Soy muy consciente de la tortura mental a la que sometía mi padre a los demás.

–También los sometía a tortura física –afirmó él con gravedad. No estaba de humor para ser amable con ella ni para ser sensible a sus sentimientos. A pesar de lo que ella creyera, no era como su padre, y haría bien en recordarlo.

–Contrataba a gente para torturar a quien se opusiera a sus designios, para romperle los huesos.

Ella tardó unos segundos en hablar.

–¿Lo hiciste tú alguna vez?

–No, pero lo vi.

Oyó que ella paseaba inquieta pisando las hojas, probablemente para elegir lo que iba a decir.

—Eso es lo que no entiendo, Rafe. ¿Por qué no se lo impediste? Para empezar, ¿por qué estabas con él?

Al igual que con la historia de su ceguera, tampoco había motivo alguno para no contárselo.

—Me vi obligado. Como te he dicho, el dinero es poder. Tu padre me salvó de ir a la cárcel en Roma, cuando me pillaron robando. Y no solo hizo eso, sino que me dio una educación y pagó para que mi madre tuviera una casa. En aquel momento, llevábamos sin casa mucho tiempo.

—Si se tratara de otro hombre —afirmó ella— diría que se portó con mucha generosidad. Pero no lo diría de mi padre.

—Solo intentaba comprar a un adulador y sabía que, si la suerte de mi madre estaba en sus manos, tendría mucho poder sobre mí.

—¿Qué le sucedió a ella, después de que tú…?

—Ahí está la cosa. Cuando él creyó que había muerto, se olvidó de que le estaba pagando el alquiler de la vivienda. Como ya no podía seguirla utilizando, no había razón alguna para echarla a la calle, salvo la de hacerlo simplemente por diversión. Si no iba a hacer daño a nadie, aparte de a ella, dejándola en la calle, le daba igual. O no volvió a pensar en ello. Cuando prosperé, instalé a mi madre en una casa en la que ahora vive contenta.

—¿La ves?

Él rio con amargura.

—No, no me apetece. Solo me pide dinero y aunque no me duele darle cierta cantidad…

–Cuando estábamos juntos, nunca me contaste nada de ella.

–Hay muchas cosas que no te conté.

–Sí, y me pregunto por qué. Te arriesgabas al estar conmigo… Pero me pregunto si de verdad era así. Si suponías que estábamos condenados, supongo que te resultaría mucho más fácil jugar a que me querías. Mucho más sencillo.

–Ya no juego a nada contigo. No me vas a privar de mis hijos, Charlotte. No consentiré que seas tú la que impongas tus condiciones –trató de suavizar el tono–. Aquí, conmigo, podrías ser feliz.

–Si eso fuera verdad, ¿no crees que también lo habría sido en la torre en que me encerró mi padre?

Capítulo 8

RAFE la evitó durante la semana siguiente. O tal vez no estuviera evitándola. Era una posibilidad.

Pero Charlotte lo dudaba.

Él ejercía demasiado control sobre todo para que algo se produjera por accidente. Si hubiera querido verla, la habría visto, ya que, no dejaba nada al azar. No había nada que no manipulara.

Lanzó un hondo suspiro mientras deambulaba por el solárium, que se había convertido en su habitación. Seguía saliendo a los jardines, a pesar de la conversación que habían tenido la semana anterior. Aunque fuera su rehén, él no iba a dictarle lo que debía hacer con su tiempo en su jaula de oro.

Al fin y al cabo, no podía escaparse a ningún sitio y no quería prescindir del aire fresco.

Ese día, sin embargo, llovía, por lo que estaba aprovechando el escaso y débil sol que entraba por las ventanas.

Agarró uno de los sillones y lo empujó por el suelo de mármol hasta ponerlo frente a una ventana. Hizo lo mismo con una mesita. Era mucho más agradable tenerlo todo al lado de la ventana. Le apetecía sentarse un rato a contemplar la vista. No estaba de humor para ir a enfrentarse con Rafe.

Al cabo de un rato decidió tomarse un té. Podía pedírselo a alguno de los empleados de Rafe. Eran muy atentos, y a ella le daba la sensación de que Della, el ama de llaves, no aprobaba que Rafe la retuviera allí.

Eso hacia que se sintiera, si no segura, al menos como si tuviera un aliado. Y era muy agradable tenerlo.

Aunque Della no podía hacer hada al respecto, ya que era de suponer que querría conservar el trabajo. Enfrentarse a Rafe implicaría perderlo. Aquello no era una democracia, sino una dictadura, sin lugar a dudas.

Pero ella se sentía sorprendentemente bien ese día y no quería que nadie le sirviera, sino ir ella misma a prepararse el té. Necesitaba hacer algo.

Ese era el problema de estar encerrada allí. Le recordaba el pasado y le proporcionaba demasiado tiempo para pensar.

Y, a pesar de que le entristecía aquello en lo que Rafe se había convertido, inevitablemente, surgían los recuerdos de su tiempo juntos. Eran sentimientos amargos y dulces, a la vez, cómo él la había hecho sentirse querida por primera vez.

Por eso le resultaba tan difícil odiarlo, no tener la esperanza de que, cada vez que oía pasos, fueran los de Rafe, que iba a verla.

Porque era él quien le había enseñado lo que significaba que la quisieran. Y tal vez eso hubiera desaparecido en los años posteriores. Las mentiras de Josefina, el daño que le había causado su lesión y el tiempo separados era demasiado para que un amor joven sobreviviera.

Era como si hubieran pasado un frío invierno, una tremenda helada, y el tierno capullo hubiera muerto.

De todos modos, ella lo recordaba como si fuera la única flor que había visto.

Él era su única referencia para hacerlo. Y eso lo convertía en…

No podía odiar a Rafe, aunque debería.

Entró en la cocina, vio que había un cazo al fuego con agua hirviendo y se puso a prepararse una taza de té.

Cuando volvió al solárium, Rafe lo estaba cruzando y ella vio el accidente sin tiempo de evitarlo. Rafe andaba por el centro de la habitación, cerca de las ventanas, y chocó con el borde de la mesita que ella había colocado junto al sillón. El golpe se lo dio en la rodilla, y la mesita y él cayeron al suelo.

A Charlotte, el corazón le dio un vuelco, soltó la taza y la porcelana se hizo añicos en el suelo. Era, en cierto modo, su penitencia por lo que acababa de suceder, por la mesa rota. Ella tenía que romper algo también, para que él no estuviera solo.

Sabía que no tenía sentido, pero, en aquellos momentos, no pensaba de forma lógica. Solo sentía. Nada más.

Y sentía arrepentimiento y angustia por haberle hecho perder su orgullo y por que se hubiera hecho daño.

Él lanzaba improperios en italiano, con viles palabras. Aunque ella no las entendía, la intención era clara. Y estaba paralizada.

Rafe se separó de la mesa. Se le habían roto los pantalones y se le veía sangre en la piel. Era evidente que se había golpeado la frente con algo, porque se le estaba formando un círculo rojo oscuro.

—Lo siento —dijo ella con voz temblorosa.

—¿Has sido tú quien ha movido esto? —preguntó él en tono helado.

Ella asintió y después se dio cuenta de que él no la veía. Y estuvo a punto de hacerse añicos, como la taza.

—No lo he pensado. He cambiado de sitio los muebles para sentarme cerca de la ventana y he ido a la cocina a prepararme un té. No pensaba que fueras a venir, ya que llevamos una semana sin vernos. Creí que la posibilidad de que entraras en la habitación en la que yo estuviera era remota.

No era verdad. No había pensado que, desde luego, era peligroso quitar algo de uno de los recorridos que él tan bien conocía.

Era obvio que Rafe conocía el castillo; si no, no podría desplazarse por él como lo hacía. Ella lo había visto recorrer los pasillos, incluso sin bastón. Así que supuso que, hasta cierto punto, tenía una memoria potente relacionada con aquel lugar, lo cual implicaba que las cosas no se podían cambiar de sitio.

—No es cierto. He obrado sin pensar. Lo siento.

Él cruzó la habitación en su dirección, guiado por su voz. Y ella se quedó paralizada. Parecía un loco airado, casi fuera de sí. Sus ojos oscuros, que no se fijaban en nada, tenían una expresión salvaje. Y en su boca había una mueca de desprecio.

—Rafe…

Él le pasó el brazo por la cintura y la atrajo hacia sí. Luego la agarró por la barbilla con el índice y el pulgar y la mantuvo así durante unos segundos.

Después deslizó la punta de los dedos por un lado de su cuello y apretó con el pulgar el punto en el que el pulso le latía rápidamente.

—¿Me tienes miedo? —preguntó con voz ronca.

—Tengo miedo por ti —contestó ella con voz temblorosa.

—Pues no hace falta, *cara*. Pero, si de verdad crees que soy como tu padre, tal vez el hecho de tenerme miedo sea la razón de que el corazón te esté latiendo a tanta velocidad.

—No eres como mi padre.

—Nunca cambies de sitio las cosas de mi casa. No estás en tus dominios, sino en los míos, y no vamos a compartirlos. No es un hogar feliz ni puedes hacer lo que quieras en él. No puedes ir donde quieras ni tocarlo todo. No eres quien para decidir dónde va cada cosa. Esa decisión es mía, solo mía.

Ella levantó una temblorosa mano, le acarició la mejilla y siguió hasta la frente, donde intentó aliviarle el dolor del rojo verdugón.

—Lo siento —susurró.

Capítulo 9

A RAFE le hervía la sangre en las venas. Y lo que más le quemaba era su orgullo herido. Detestaba la facilidad con la que podía quedar en ridículo, como un idiota tropezando en su propia casa, hasta qué punto dependía de que los demás hicieran exactamente lo que les decía y lo infantil que se sentía a veces. Le horrorizaba y enfurecía.

Y ella le decía que lo sentía.

Estaba furioso por la herida y deseaba a Charlotte por estar tan cerca, con aquel aroma embriagador que solo era suyo.

–Si quieres demostrarme cuánto lo sientes, tal vez debieras hacerlo de rodillas –afirmó con crueldad, esperando que ella le diera una bofetada.

Sin embargo, no lo hizo. Siguió acariciándolo como si fuera un objeto frágil y estuviera comprobando que no se había rajado ni abollado.

¡Por Dios, si lo habían arrojado desde una torre y no había permitido que eso lo destrozara! Aquella indignidad, que ella había contemplado, no iba a hacer que se sintiera rebajado.

La agarró de la muñeca con la fuerza de una esposa de hierro para que dejara de acariciarlo como si fuera un perrito.

—No me vas a aplacar. ¿Quieres compensarme por lo que has hecho o no?

Ella temblaba y él no sabía si era de miedo o por otro motivo. Tampoco estaba seguro de que le importara.

—Sabes que me atraes —dijo ella con voz ronca. Pero ¿es así como lo deseas? ¿Me lo exiges lleno de ira?

—Sí, lo deseo así. Te puedes marchar si te molesta. Si no, te sugiero que te disculpes empleando esa exuberante boca que tienes, en vez de palabras.

Esperaba que se fuera corriendo, que huyera airada.

En lugar de ello, se arrodilló ante él, que la agarró del cabello y, casi de forma refleja, le quitó una de las horquillas que se lo sujetaban.

—No lo hagas —dijo ella.

Él retiró la mano porque no se fiaba de sí mismo si la dejaba donde estaba. ¿Y por qué iba a obedecerla? Era él quien estaba herido y quien había quedado en ridículo en su propia casa.

No era él quien debería sentirse culpable, sino ella. Debería estar arrepentida y arrodillarse ante él. Era lo menos que él se merecía.

Sin embargo, por mucho que se repitiera esas palabras, no se las creía.

Ella no le tocó el cinturón ni la cremallera, sino que le apartó el trozo de tela que se le había rasgado en la rodilla.

–Estás sangrando.

Se inclinó y le sopló en la herida. La sensación era calmante y excitante a la vez.

–Ya lo sé –respondió el con dureza.

–Estás sangrando por mi culpa –afirmó ella con voz ahogada–. Entiendo que necesites hacerme sangrar también.

–No quiero tu sangre –le espetó él con ferocidad–. Quiero estar en tu boca.

–No tengo ningún problema en acceder a ello, pero supongo que eso te priva de algo, de castigarme.

Ella no se movió y siguió soplándole en la herida, como si fuera un niño y lo estuviera calmando porque lloraba después de haberse hecho una herida.

Pero, entonces, le deslizó la mano hacia arriba del muslo hasta tomar en la mano su excitación y acariciar con la palma su dura longitud.

–Estás enfadado conmigo, pero me sigues deseando. ¿Qué control es ese?

–No te he pedido ningún comentario –bramó él.

–Desde luego que no –murmuró ella.

–Deberías tener la boca ocupada.

Notó que ella se erguía mientras le desabrochaba el cinturón y le bajaba la cremallera. Y oyó que el aire le silbaba entre los dientes al tomar su masculinidad en la mano.

Él hubiera dado una incalculable parte de su fortuna por poder mirar hacia abajo en ese momento y verla con el cabello rubio recogido y las mejillas rojas, sin lugar a dudas, a causa de la ira o la excitación. Y, cuando estuviera en su boca, verle los labios,

que se volverían rojos y resbaladizos y se le hincha-
rían.

La mera idea lo hizo estremecerse en su mano.

Ella lo probó con la punta de la lengua de forma
lenta y seductora, una manera de llevarlo a la locura.
Después, la calidez de su boca lo envolvió, como si
ella se estuviera disculpando con los labios, la lengua y el borde de los dientes. Lo agarró con fuerza
mientras lo acariciaba como él le había enseñado
hacía años. Ella no lo había olvidado.

Y supo que no había habido otros hombres. Ella
había llegado a su cama virgen, tal como la había
dejado.

Esperándolo.

Daba igual que no fuese verdad. Fue el grito de
guerra que lo enardeció mientras Charlotte le proporcionaba placer y el mundo se deshacía, le estalla-
ban fuegos artificiales en el cerebro y todo su ser se
iluminaba aunque su vista siguiera en la oscuridad.

Se quedó agotado. El placer era una criatura salvaje que le desgarraba las entrañas y lo arrastraba a
un abismo del que no podía salir, en el que quería
quedarse.

Y después no hubo nada, salvo la respiración ja-
deante de ambos en la habitación vacía. Y él solo
pensó en la imagen que daban. Charlotte de rodillas
frente a él y una taza rota, suponía, cerca de ella; la
mesa rota y él de pie con los pantalones rasgados y
una rodilla ensangrentada.

Se suponía que iba a seducirla en cuerpo y alma.
¿Y qué había hecho? Le había gruñido como un oso

y, después, obligado a proporcionarle placer a la primera señal de que las cosas no estaban saliendo según sus planes. Llevaba una semana evitándola y, al volverse a ver, había hecho aquello.

No podía controlarse en su presencia. Había elaborado un plan, pero parecía que era incapaz de seguirlo, lo cual le resultaba incomprensible.

Se inclinó para levantarla y la abrazó.

—Rafe…

—¿Has cambiado de sitio algo más?

—No.

Él atravesó el solárium hacia la zona del castillo donde nada se había movido. Por fin volvía a sentirse poderoso, el dueño del castillo.

Y llevaba en brazos a Charlotte, como si fuera débil y él, fuerte. Ella se le aferraba al cuello, paralizada, probablemente de miedo.

Probablemente merecido.

Él tenía que solucionar aquello de un modo u otro. Debía hallar la forma de hacerlo para que ella se quedara con él.

Al fin y al cabo, llevaba a sus hijos en su seno, por lo que era imprescindible que se quedara.

Él no sería como su padre.

Jamás.

Recorrió el pasillo deprisa y subió por una escalera contando cada escalón, un ejercicio casi inconsciente, y acabó de hacerlo perfectamente, antes de llevarla por otro largo pasillo a su habitación.

Empujó la puerta para abrirla, entró y la depositó a los pies de la cama.

—¿Ves por qué no hay que cambiar de sitio las cosas?

—Sí —respondió ella en voz baja.

Él sintió un dolor en el pecho más agudo que el de la rodilla y la frente.

—No estás dolida conmigo, ¿verdad?

Se percató de que le importaba la respuesta y de que le molestaría haberla herido de algún modo.

—Estoy bien —contestó ella, algo aturdida.

—No puede haber esta distancia entre nosotros.

Eso formaba parte de su plan. Tenía que reparar lo que había roto y era evidente que no podía hacerlo interactuando con ella. Si hablaban, él lo echaría todo a perder. No sabía decir lo que era adecuado. Pero podía proporcionarle placer; estaba seguro de poder hacerlo.

No le hacía falta ver para saberse el mapa del castillo. Tampoco le hacía falta ver para saberse el mapa del cuerpo de Charlotte: lo tenía grabado a fuego en el cerebro. Era la última mujer a la que había visto desnuda. La recordaría siempre. Incluso lo haría aunque hubiera visto después a mil mujeres desnudas.

—¿Qué ropa interior llevas hoy?

—Una muy sencilla.

—Qué pena. Pero, entonces, no te importará quitártela para mí.

—¿Acaso he dicho que me la quitaría?

Él supuso que se merecía esa respuesta.

—¿Lo harás? —una pregunta dolorosa, pero necesaria en ese momento.

Ella vaciló.

–¿Para qué?

–Para que podamos… para que hagamos… Soy yo el que está ciego. Creo que tú eres capaz de ver con claridad lo que desea mi cuerpo –sintió vergüenza al decirlo, lo que no era habitual.

–Quieres tener relaciones sexuales conmigo, pero yo quiero saber por qué. ¿Para satisfacerte o para algo más? Porque llevo mucho tiempo siendo un arma en manos de los hombres, Rafe, y me gustaría ser algo más, que me dejaran de manipular. Ser algo más que una mera satisfacción para ti.

Él mentiría si le dijera que no intentaba manipularla, pero nunca se había considerado un hombre íntegro. ¿Qué más daba? ¿Qué más daba si era lo que ella deseaba oír?, ¿si la haría feliz? Al fin y al cabo, eran razones desinteresadas.

–Lo que he hecho abajo –dijo él– ha sido egoísta. Ha sido por placer y, sobre todo, para satisfacer mi ego. Caerse como me he caído no es fácil para un hombre como yo. Pero, ahora, ahora veo con más claridad que…

–El orgasmo te sirve para eso, ¿verdad?

–Puede ser –respondió él con sequedad–. De todos modos, ahora quiero ser yo el que te proporcione placer, hacerte un regalo como me lo acabas de hacer tú a mí.

–La rodilla tiene un aspecto horrible. Vas a hacerte daño.

–Me da igual.

La levantó del suelo y le enlazó las piernas en su cintura. Así agarrados, se tumbaron en la cama. El brocado de la colcha le arañó la herida, y apretó los dientes. No le hacía ninguna gracia que ella tuviera razón.

–Ya te lo había dicho –afirmó ella al tiempo que le acariciaba el rostro para, después, deslizarle la mano por la barbilla hasta el cuello y llegar a la base de la garganta–. El corazón te late deprisa.

–Porque te deseo.

Cambiaron de postura y ella quedó sentada sobre él, a horcajadas.

–Si tanto te preocupa mi rodilla, podemos hacerlo así.

Él la oyó quitarse la blusa y el sujetador. Le puso la mano en las caderas y le tocó la cintura de los vaqueros y la piel.

–Vas vestida de manera muy informal para estar en un castillo.

–Sí. Me han comprado algunos vestidos, pero hoy hace mucho frío.

–Me gustaría que te pusieras un vestido para mí.

–¿Ah, sí? –él oyó una sonrisa en su voz.

–Sí, porque me gustaría mucho volver a quitarte uno. Subirte la falda hasta las caderas y tomarte así.

–No sabía que eso se hubiera convertido en un procedimiento habitual.

–Ni yo que hablaras tanto.

Ella se echó a reír.

–Supongo que debería sentirme ofendida.

–Pero no lo estás, porque estás muy excitada. Me deseas demasiado para enfadarte conmigo.

–Eres muy arrogante –afirmó ella, pero movió las caderas de un modo que él supo que tenía razón.

–Sí, muy arrogante. Pero, en estos momentos de mi vida, ¿querrías que mi ego se sintiera más herido de lo que está?

Ella le dio un beso rápido en la comisura de los labios.

–No.

Le puso la mano en el centro del pecho para apoyarse y levantarse. Él supuso que intentaba quitarse los pantalones, así que decidió ayudarla.

Le puso las manos en las caderas y agarró la cintura de los vaqueros al tiempo que la levantaba un poco para que ella se los bajara por los muslos. Ella pataleó para acabar de quitárselos. Después volvió a sentarse encima de él y le quitó la camisa y el resto de la ropa hasta que los dos estuvieron desnudos,

El deslizó las manos desde sus caderas hasta la cintura para subir hasta sus senos. Le rozó los pezones endurecidos con los pulgares y después comprobó el peso de sus pechos con las manos.

Le pasaron por la mente imágenes de piel blanca, líneas curvas y seda.

Ella lanzó un grito ahogado, un sonido que fue una dulce bendición que lo inundó como un bautismo. Se sintió renovado en aquel momento, no tan contaminado por el pasado, por la ira que lo había consumido en el solárium, por la ira que llevaba años consumiéndolo.

Bajó las manos para volver a agarrarla por las caderas, la inclinó ligeramente hacia delante y la colocó encima de su tremenda excitación. Ella lanzó otro grito ahogado y se balanceó hacia delante y hacia atrás, probando para introducirlo en su interior, antes de descender centímetro a centímetro.

Apretó la frente contra la de él, que sintió su cálido aliento en los labios cuando se estremeció. Ella movió las caderas y el placer estalló en él como un relámpago, comenzando en la base de la columna vertebral y disparándose hacia arriba. Ella era eléctrica y él no tuvo más remedio que absorber aquella energía.

Después perdió el control, la capacidad de limitarse a quedarse tumbado allí, a merced de una tormenta eléctrica. La agarró de las caderas y la hizo descender con fuerza sobre él. Ella gritó, luego sollozó y se aferró a sus hombros, clavándole las uñas.

El placer y el dolor se entrelazaron en la mente de él.

–Dime que esto es lo que quieres, que está bien.

–Sí –gimió ella.

Hubiera dado lo que fuera por ver el deseo inscrito en el rostro de ella, por ver cómo se le separaban los labios de placer.

Pero apartó de sí ese pensamiento porque era inútil desear aquello o pensarlo. Se centró en la sensación de la piel de ella en su manos, en el modo en que sus caderas cedían bajo su contacto, en los sonidos que ella emitía al respirar, en el modo en que se le aceleraba la respiración cuando él le hacía algo que le gustaba.

Y la olía. Olía el sexo y el deseo, mezclado con flores y Charlotte. Se perdía en ello, en el modo en que se le iluminaban los sentidos cuando estaba así con ella. Tenía sensaciones profundas y exquisitas. Sentía resbalar el cuerpo de ella en torno a su excitación, las puntas de sus dedos en la piel y las uñas clavándosele en ella. Se imaginó que le dejarían marcas. No las veía con los ojos, pero sentía su forma y profundidad. Las veía como un color. Y oía a Charlotte contener la respiración y sus gritos ahogados de deseo.

Él introdujo la mano entre los dos y la deslizó por la parte interior del muslo hasta que ella se agitó, hasta que halló el pequeño y sensible montículo de carne en el vértice de sus muslos y se lo acarició con un movimiento circular. Notó que ella comenzaba a sufrir espasmos en torno a él y que dejaba de controlarse para entregarse al poderoso clímax que la sacudió por completo.

Pero él no había acabado. Ni por asomo.

Él ya había alcanzado el clímax antes, por lo que quería que estuvieran iguales.

Cambió de postura, sin importarle ahora que el brocado de la colcha le hiciera daño en la herida, sino que le supuso una nueva sensación, la de un cuchillo que sabía a metal. Eran más sensaciones, más.

Las ansiaba todas.

Se retiró y volvió a penetrarla despacio, atormentándolos a los dos con embestidas largas y lentas.

Agachó la cabeza y la besó en el cuello, justo debajo de la barbilla, y en los senos. Después se introdujo un pezón en la boca y lo chupó con fuerza, antes de hacer lo mismo con el otro.

Ella era hermosa toda entera. Lo único que deseaba. Lo único que necesitaba.

La luz cruzaba la oscuridad de su vista. Ella hacía que la viera; aún más, hacía que la sintiera en el alma. Alcanzaba esa oscuridad que era más profunda que la ceguera.

Después, perdió el control. Necesitaba que ella volviera a alcanzar el clímax, hacer algo que compensara lo que había sucedido antes. Pero ya no podía seguirse conteniendo.

–Llega al clímax para mí –dijo con voz entrecortada–. Por favor –le rogó, sin importarle hacerlo.

Sintió que ella se arqueaba debajo de él y que tensaba el cuerpo mientras gritaba. El segundo clímax de ella fue como una tempestuosa tormenta que lo atrapó también a él y los consumió a los dos. Su orgasmo fue tan doloroso como placentero. Y, cuando hubo concluido, sintió que había perdido algo vital de sí mismo y lo había sustituido por otra cosa igual de esencial. No sabía qué podría ser ese intenso sentimiento de pérdida, de rendición, unido a una satisfacción hasta entonces desconocida para él.

Ella se acurrucó junto a su cuerpo, un peso cálido y suave que lo confundía, que le alteraba la percepción del espacio y el tiempo. Sabía que era por la mañana, pero quería quedarse en la cama. Deseaba dejarse arrastrar por el letargo posterior al acto y abrazarse a Charlotte.

Aceptar la oscuridad que siempre lo rodeaba y crear una especie de intimidad entre ambos. Dejar que Charlotte lo privara del cuidadoso control que ejercía sobre el mundo, aunque solo fuera durante unas horas.

En los años anteriores, su rutina se había convertido en algo muy importante para él. Había entrenado su reloj interno para que le impidiera cometer errores sobre la hora de acostarse o de levantarse. Dependía de despertadores y temporizadores, pero también se había esforzado mucho en inculcarse a sí mismo el sentido del tiempo.

Ahora le daba igual. Le daba todo igual salvo sentir a Charlotte a su lado, apretada contra él.

Y así, se quedó dormido.

Cuando Charlotte se despertó, ya era por la tarde. Se sorprendió de haber dormido tanto y más aún de que Rafe estuviera dormido a su lado.

Con cuidado, se deslizó fuera de la cama y recogió su ropa sin hacer ruido. Estaba dolorida y se sentía frágil. Necesitaba marcharse para despejarse la cabeza. Sabía que, dadas las circunstancias, lo que había ocurrido antes entre ellos, no sería bien recibido que se ocultara.

Si él mandaba a alguien a buscarla, iría a hablar con él. Solo necesitaba algo de tiempo. Necesitaba…

–¿No enamorarme de él? –susurró mientras cerraba la puerta del dormitorio y echaba a andar por el pasillo sin hacer ruido.

Sí, le encantaría no enamorarse de él por segunda vez porque Rafe, el que ahora era, no parecía un hombre que entendiera el amor.

La forma en que se había comportado con ella en el solárium…

Debería estar enfadada, pero, para hacerlo, tendría que convencerse de que él la había obligado. Sin embargo, ella había podido elegir, ya que él el había dado la oportunidad de marcharse, pero ella había decidido enfrentarse a su desafío y demostrarle cuánto lo deseaba.

Y después habían ido al dormitorio de él. Y lo que había sucedido allí había sido demoledor.

Rafe deseaba tener control sobre todo. Y sinceramente, lo entendía. Ella también deseaba tener un poco de control, lo cual los enfrentaba peligrosamente, ya que él pensaba que para controlar cualquier aspecto de la situación tenía que controlarla a ella por completo.

Volvió al solárium y vio que lo habían limpiado y ordenado. El sillón estaba de nuevo en el sitio que ocupaba antes de que ella lo hubiera cambiado de forma tan estúpida.

Y se quedó allí mientras se daba cuenta verdaderamente de lo que había hecho.

Miró a su alrededor en busca de algún empleado. Salió del solárium y se dirigió a la cocina, donde halló a Della.

–Della, ¿tiene usted un botiquín?

–Sí.

–Lo necesito para el señor Costa. Se ha hecho una herida porque yo, como una idiota, había cambiado los muebles de sitio.

–Ahora se lo traigo. ¿Quiere que vaya yo a curarlo?

Charlotte negó con la cabeza.

—No, lo haré yo.

—Que conste que creo que al señor Costa le viene bien no salirse siempre con la suya.

—Me parece que ya hay bastantes cosas que no son como él querría —dijo Charlotte con el corazón encogido.

Della se encogió de hombros.

—Algunas, pero no todas.

Capítulo 10

RAFE se despertó desorientado y sintió unas manos frías y delicadas en la piel.

–¿Qué…?

–Te estoy vendando la pierna –era Charlotte, por supuesto. Su cuerpo la había reconocido antes de que hablara–. No me lo pongas difícil.

–¿Por qué supones que voy a ponértelo difícil?

–Porque es tu actitud habitual, Rafe –él sintió algo pegajoso y frío en la piel. Supuso que sería un medicamento. Lo estaba curando. Quiso enfadarse porque lo estuviera tratando de nuevo así.

Sin embargo, ella lo estaba tocando, y no podía enfadarse cuando ella lo tocaba.

–Hay que ser al menos tan duro como la vida, ¿no crees?

–No –respondió ella–. Creo que no.

–¿Y por qué estás en desacuerdo conmigo?

–Porque sí. Me hace imaginarme dos rocas chocando.

Él se echó a reír y, después, hizo una mueca, cuando ella le aplicó algo más de aquel medicamento en la rodilla.

—Así se consigue una chispa, ¿no?

—Desde luego, pero ¿con qué fin? Al final, lo único que haces es estar sentado frotando una piedra contra otra. No hay matices en eso ni, desde luego, alegría alguna. En la vida hay algo más que pasar por ella. Al menos, Rafe, espero que lo haya, porque llevo mucho tiempo viéndola pasar. No he podido endurecerme. Me he protegido como si me envolviera en un grueso abrigo para atravesar una tormenta. Pero quiero algo más.

—¿Y crees que lo único que yo te ofrezco es sobrevivir? Diría que este castillo es mejor que una tormenta.

Ella suspiró profundamente y le alisó la venda.

—No me faltó un entorno lujoso en la infancia y la adolescencia. Ya hemos hablado de eso.

—Sí, y comparaste esta experiencia con criarte con tu padre. Pero me parece que no se puede comparar. No he amenazado tu seguridad.

Lo sorprendió sentir la fría mano de ella en su rostro.

—Pero esto no es la libertad, ¿verdad?

—¿Y qué harías tú con ella, *cara mia*?

—No voy a quitarte a tus hijos. Llegado a un cierto punto, tendrás que confiar en mí.

—No me resulta fácil confiar en los demás.

—¿Por qué?

Ella le quitó la mano del rostro y volvió a ocuparse de la rodilla.

—Mi madre y yo nos quedamos en la miseria cuando mi padre nos echó de su casa.

Él notó que ella se ponía tensa.

—¿Qué?

—Mi padre nos echó de su casa cuando volvió su esposa.

Se hizo un silencio mientras ella seguía curándole la herida con manos frías y diestras. Él quería saber a quién más habría vendado. ¿A otro hombre? Lo mataría. ¿A algún niño? Al imaginársela con niños, sintió que se le partía el corazón.

—No lo sabía —dijo ella, por fin, con voz queda.

—No, claro —observó él en el mismo tono despreocupado que antes—. No te lo había dicho.

—Pues deberías haberlo hecho. ¿De qué hablábamos hace cinco años, Rafe? ¿Por qué sabemos tan poco el uno del otro?

—Nos cegaba la lujuria —él rio—. Y ahora soy yo el que está ciego.

—Yo sigo sintiendo bastante lujuria —afirmó ella con humor.

Él levanto una mano buscando su rostro. Lo agarró y le acarició la mejilla con el pulgar.

—Eso está bien.

—Me estabas hablando de tu padre.

Él dejó caer la mano.

—La lujuria me parece un tema más interesante.

—Y es el motivo de que no nos conozcamos.

—Mi padre era rico y estaba casado. Tenía una casa en Roma. Yo viví allí hasta los cuatro años. Él se ausentaba con frecuencia y yo era el dueño de la mansión, por así decirlo. Pero un día volvió y nos dijo que su familia iba a mudarse allí, por lo que teníamos que marcharnos.

–¿Simplemente os echó sin ofreceros ningún tipo de manutención?

Rafe se removió. Aquel tema lo ponía incómodo. No le gustaba pensar en ello. Se negaba a reflexionar sobre ello.

–Verás, no era parte importante de mi vida, a pesar de que yo vivía en su casa. Me criaron fundamentalmente niñeras, de lo cual me alegro. Pero me encantaba la casa. Era preciosa y tenía muchas cosas bonitas. Me fascinaba, sobre todo, un gran pez hecho de cristales de colores. Era un arcoíris –sonrió levemente al recordarlo: azul con destellos de color verde y púrpura–. No le pedí llevarme ningún juguete cuando me fui, solo aquel maldito pez.

–¡Ay, Rafe…!

–Mi padre lo agarró de la mesita en la que se hallaba y me lo tendió. Al ir a tomarlo, lo dejó caer. Se hizo añicos en el suelo de mármol, añicos de color azul, verde y púrpura. Era imposible recomponerlo.

Como a él en ese momento: un niño destrozado completamente por el hombre rico que había sido su padre.

–¿Cómo pudo…? ¿Cómo…?

–¿De verdad me preguntas cómo puede un padre hacer daño a su hijo de esa manera? El tuyo intentó venderte a un hombre para que te casaras con él.

–Lo sé, pero me sigue sorprendiendo, lo cual no sé si dice algo en mi favor.

–Claro que sí: que eres mejor que la mayoría –afirmó él con voz ronca–. Y que nuestros hijos tendrán la suerte de tenerte.

Intentó no recordar la casa de su padre. Se acordaba de todos los detalles y, a veces, lo invadían los recuerdos, ya que no veía lo que lo rodeaba y, por tanto, no podía distraerse de las imágenes del pasado.

Veía los suelos de mármol y las alfombras en que se sentaba de niño con las piernas cruzadas; la gran cama en la que se tumbaba como un rey. Y después de eso...

Dormir en la calle. El bonito pez hecho añicos. Sin juguetes. Siempre con dolor de estómago a causa del hambre.

Apartó de sí esos pensamientos.

A sus hijos no les faltaría de nada. De eso estaba seguro. Ahora tenía poder, pero no lo emplearía en hacer sufrir a quienes estaban a su cuidado.

Sin embargo, ¿no lo estaba Charlotte? ¿Y no la estaba reteniendo contra su voluntad?

—No vas a dejarme —dijo, y sus palabras sonaron más como una orden que como una pregunta, que era lo que pretendía hacer.

—Rafe, no sé qué quiero de la vida. Y todo esto... los gemelos... gemelos, Rafe. No puedo pensar más allá. Y aquí, en el castillo, al menos hay tranquilidad y tengo mucho tiempo para mí. Es como si el tiempo se hubiera detenido, lo cual está bien. Pero te prometo una cosa: nunca me llevaré a tus hijos.

—¿Y tú qué harás?

Ella no debería importarle. Se trataba solo de sus hijos. Sin embargo, que ella se quedara con él le parecía igual de importante.

–Yo… me quedaré. Por los niños –añadió a toda prisa.

Pero lo único que a él le importó fue que hubiera prometido quedarse.

–Mi amigo, el príncipe Felipe, da una fiesta la semana que viene.

–¿Qué?

–¿No me he expresado con claridad?

–Sí, pero has cambiado de tema bruscamente.

–En absoluto. Me has dicho que te quedarás conmigo. Y, si me lo prometes, no tendré que retenerte aquí, lo que significa que podemos ir al país de Felipe y acudir a la exposición de su esposa.

–¡Vaya, qué generoso eres! –dijo ella con un sarcasmo que a él no le pasó desapercibido.

–No pretendo ser generoso, sino que te informo del cambio de planes.

–¿Es ese el amigo que también tiene un castillo, motivo por el cual te compraste tú este?

–Sí, y también irá Adam, mi otro amigo que también posee un palacio.

–Estoy deseando conocer a tus amigos. Me encanta que tengas amigos.

Él lanzó un gruñido, la agarró y la tumbó en la cama.

–Soy encantador.

–Es evidente que no soy inmune a tus encantos, o no estaría aquí.

Él la besó. Sus labios sabían a risa.

–Eso está muy bien –por fin había logrado su objetivo y ella le había prometido que se quedaría.

No hizo caso de la inquietud que se había apoderado de él, del eco de otras promesas que le habían hecho cuando era un niño: que esa noche dormiría caliente, que estaría a salvo.

Que siempre tendría un hogar.

No les prestó atención y se aferró a Charlotte.

El problema era que el pasado le parecía claro y luminoso, en tanto que el presente estaba lleno de oscuridad. Pero, al menos, ella estaba allí y podía abrazarla.

Capítulo 11

RAFE –dijo Charlotte una noche mientras cenaban–. ¿Sueles llevar a mujeres a actos sociales?

Él alzó la cabeza y enarcó una ceja.

–Nunca.

Charlotte frunció el ceño.

–Entonces, ¿crees que llevarme causará cierto revuelo?

–Sin duda –contestó él sin parecer preocupado.

–¿Mi embarazo es un secreto?

Él se encogió de hombros.

–¿Por qué iba a serlo?

Ella se contuvo para no demostrar su irritación. A veces era imposible hablar con él. Tenía planes para todo en su brillante cerebro y no se mostraba dispuesto a compartirlos con aquellos a quienes afectaban.

–Ni idea –contestó ella con sequedad.

–No es un secreto.

Ella se aclaró la garganta.

–¿Cómo me vas a presentar?

Él lanzó un profundo suspiro y agarró su copa de vino.

–Como Charlotte Adair, supongo.

Ella se llevó un trozo de pollo a la boca.

–Muy bien. ¿Cómo es que nunca has llevado a ninguna mujer a ese tipo de reuniones?

–Porque, desde el accidente, no he estado con ninguna, salvo contigo.

Lo dijo con la misma despreocupación y brusquedad con las que le había ido dando pequeñas dosis de información durante la cena. Pero esa era importante y planteaba muchas preguntas.

No se le había ocurrido que Rafe no hubiera estado con otra mujer. Le había dicho que ella había sido la última a la que había visto desnuda, y, dado que había perdido la vista, tenía lógica. Pero eso no significaba que ella hubiera sido la última con la que él había estado desnudo.

–¿No has estado con nadie?

–Tú tampoco.

–No –pero ella había estado desesperadamente enamorada de Rafe y él le había partido el corazón. Teniendo en cuenta que ella se había pasado muchos años creyendo que la había abandonado, no se le había ocurrido que no se hubiera seguido relacionando con mujeres. Además, en la prensa, ellas hablaban de él. Ninguna se había atrevido a afirmar que había tenido una aventura, pero hablaban de él con el respeto que cabía esperar si un hombre las hubiera hecho estar en el paraíso. Y ella sabía por propia experiencia que Rafe poseía esa capacidad.

–Creía…

–Me gusta controlarlo todo. Tengo que conocer a

una mujer muy bien para, dada mi situación actual, tener una relación física con ella.

—A mí no me conocías. Cuando, hace semanas, me acerqué a ti en el baile, no me conocías en realidad.

—Bueno, aunque no te conociera bien, pensé que conseguir dejar de pensar en ti y obtener, por fin, una recompensa por lo que había pasado entre nosotros, tal vez sirviera para solucionar algo en mi interior.

—¿Y ha servido?

—En absoluto.

Ella miró su plato.

—¿Se esperará que bailes conmigo? —quería que aquella conversación se acabara. Era extrañamente dolorosa y demasiado personal. Él no le decía lo que quería oír: que no había estado con otras mujeres porque no podía dejar de pensar en ella, porque nadie podía comparársele.

Lo más probable era que él no quisiera sentirse vulnerable con otras personas después del daño físico sufrido en el accidente.

De todos modos, a ella le gustaba la versión de su fantasía, en la que ella le importaba.

—Es posible, pero nunca hago lo que se espera de mí.

—¿Y te gustaría?

—¿El qué?

—Te gusta el control, ya que es el tema de muchas de nuestras conversaciones e interacciones. Si no bailas conmigo, supongo que la gente entenderá el motivo. Pero, si lo haces…

—¿Me sugieres que me dedique a sorprender a la gente?

—Por fin vas a llevar a un acto social a una mujer, que, además, está embarazada de ti y va a tener gemelos. Yo diría que podrías optar por una triple amenaza, en términos de dejar al mundo en estado de shock.

Había que reconocer que quería bailar con Rafe

Quería que la vieran en público con él, dejar de esconderse en la habitación de la torre; en resumen, dejar de esconderse. Había estado haciéndolo mucho tiempo, muchos años. Toda la vida.

Si su futuro iba a estar unido al de Rafe, y era evidente que iba a estarlo, deseaba… Deseaba que fuera brillante, hermoso y que estuviera en primer plano. Quería que su amante la abrazara estrechamente en la pista de baile, que demostrara en público que era suya, sin miedo a ser castigado. Sí, lo que más deseaba era, por fin, tenerlo todo.

Y que el mundo entero lo viera.

Primero había estado aislada por imposición y, después, se había aislado por voluntad propia. Estaba cansada de vivir según los dictados ajenos, de vivir con miedo.

—A no ser que creas que será muy difícil —dijo sabiendo que lo estaba provocando.

—Todo se puede conseguir si se practica. A veces necesito más práctica que los demás, pero no me asusta el esfuerzo.

—Entonces, lo mejor será que comencemos a practicar.

Acabaron de cenar y Charlotte propuso que fueran al solárium.

—Voy a poner los muebles contra la pared —dijo ella—. Le diré a Della que los vuelva a poner en su sitio para mañana.

—Muy bien.

—No tenemos música —dijo ella tomándolo de la mano.

Él sonrió y ella tuvo ganas de besarlo.

—Pero ¿sabes bailar?

—La verdad es que nunca he bailado con nadie —confesó ella—. Pero esperaba que tú supieras, ya que fuiste a un caro colegio privado.

—Fue tu padre quien me envió allí —dijo él con voz ronca y el ceño fruncido—. ¿No te mandó a ti a la escuela?

—Tuve tutores que se ocuparon de mi educación. Mi padre pensaba que ninguno de los hombres con los que él deseara casarme aceptaría a una mujer sin educación. Pero, claro, tampoco había que excederse, porque a los hombres tampoco les gustaba.

—Tu padre te hizo daño de mil formas distintas, ¿verdad?

—Creo que estaremos de acuerdo en que fue a ti a quien hizo más daño.

—No estoy tan seguro. Me utilizó y me chantajeó, pero me dio mucha más libertad de la que te dio a ti. Creo que, en muchos sentidos, me consideraba su hijo. Aunque no es un cumplido que te consideren eso cuando ese padre amenaza con matar a su propia hija biológica.

–Supongo que no –murmuró ella–. No es de extrañar que nos sintamos destrozados.

–En estos momentos, no lo estoy tanto.

Ella respiró hondo tratando desplazar el peso que sentía en el pecho, pero, en lugar de hacerlo, sintió como si un trozo puntiagudo de su alma le desgarrara el corazón.

–Así que sabes bailar –dijo ella.

–En efecto –sonrió–. Aunque no había bailado desde hace unos trece años. Y, cuando lo hacía, era a regañadientes.

–Tal vez sea como montar en bicicleta.

Él rio.

–También hace mucho que no hago eso.

–Al menos, podemos intentarlo.

El comenzó a llevarla con movimientos firmes y fuertes, como si no estuvieran siguiendo ningún ritmo, como si sus pasos carecieran de lógica, aunque a ella no le importó. No había música ni casi ningún otro sonido.

Como él no veía, ella cerró los ojos y confió en él, dejando que los guiara, que los arrastrara en aquel baile silencioso en que a ella le parecía que sus pies habían dejado de tocar el suelo. Se aferró a él. Le parecía que le ardía el cuerpo y que el corazón le iba a estallar.

Y, cuando dejaron de dar vueltas, cuando dejaron de moverse, jadeantes y con el corazón latiéndoles con fuerza, ella no tuvo más remedio que reconocer la aplastante sensación que experimentaba en el pecho al respirar y darle el nombre que la describía.

Amor.

Quería a Rafe. Lo más probable era que nunca hubiera dejado de hacerlo, a pesar de que le había partido el corazón, la había abandonado, o eso había creído, y habían transcurrido cinco años, cinco años perdidos. Tanto dolor…

Lo quería, siempre lo había hecho. La prueba era algo tan sencillo como no haberse podido cortar el cabello ni haber podido soltárselo desde que se habían vuelto a encontrar.

Porque le parecía un símbolo de lo que habían sido, del modo en que ella se lo había mostrado a él, solo a él, como si fuera un regalo que hubiera guardado para él, en vez de verse obligada por su padre, que consideraba que realzaba su belleza.

—Creo que por hoy es suficiente —dijo con voz queda.

—Tal vez sea mucho más difícil cuando haya más parejas en la pista.

Ella no lo había pensado. En una sala vacía, los dos podían cerrar los ojos.

—Tú me llevas y yo te sigo. Los demás, que se aparten.

Él sonrió y a Charlotte le pareció que había ganado algo, recuperado algo que había creído perdido para siempre.

En aquellos años oscuros y solitarios en que se había mantenido oculta, no se imaginó que volvería a ver a Rafe ni a estar con él. Ni, desde luego, que serían padres. Pero se habían vuelto a encontrar y aquel era el resultado. Era un milagro, en muchos sentidos, así que tal vez se produjera otro y fueran felices juntos. Tal vez él aprendiera a confiar en ella. Tal vez aprendiera a quererla.

Era improbable, y lo sabía. Sin embargo, suponía que igual de improbable que su hermoso baile en la oscuridad. Y había sucedido, así que, tal vez lo demás también ocurriera.

—Rafe —dijo en voz baja—, vamos a acostarnos.

Capítulo 12

A RAFE no le gustaban las grandes fiestas porque se sentía fuera de lugar. En el internado al que había acudido con sus amigos, era el único alumno que no poseía un origen aristocrático. Había algunos nuevos ricos, pero la mayoría procedía de la aristocracia. Eran príncipes, como Adam y Felipe, o poseían otros títulos de nobleza menos importantes.

Sin embargo, por lo que sabía, él era el único de origen humilde. Y era muy consciente de que no estaba allí por méritos propios.

No, no había hecho nada bueno para verse en aquel lugar. Nada en absoluto. De hecho, había cometido un delito y un gánster lo había contratado como aprendiz. Así que no hablaba con facilidad de su procedencia.

Siempre había sido consciente de su desigualdad, y seguía siéndolo incluso ahora, cuando el dinero que poseía era suyo.

Siempre habría algo que lo distinguiría de los demás. En la escuela, había sido su origen humilde; ahora, su ceguera.

Fuera cual fuera el motivo, esas fiestas o reuniones sociales no le gustaban, y ahora se veía obligado a acudir más que antes, debido a su posición. Y porque Felipe no aceptaba que se negara.

Al menos tenía a Charlotte a su lado.

Y siempre le quedaba el consuelo de la noche que pasarían juntos después de la fiesta.

La agarró de la mano mientras subían la escalera del museo y entraban. Charlotte se inclinó hacia él y murmuró:

—Estamos en una gran sala llena de gente. Probablemente lo oirás.

—Sí —dijo él asiéndose con fuerza a ella y al bastón.

También se le daba bien calcular el tamaño de la sala basándose en la acústica. El cálculo no era exacto, pero se aproximaba bastante.

—Hay unas cuantas mesas y camareros con bandejas de comida y bebida. Hay algunas esculturas de seres humanos. Supongo que debe de ser el arte clásico del país. Tu amigo te dijo que formaría parte de la exposición, ¿verdad?

—Sí. A Briar, su esposa, le fascina el arte. Cuando se casaron, ella se hizo cargo de resucitar el arte en el país. Sacó de los sótanos de viejas mansiones y universidades muchas piezas que se creían perdidas. Y ahora realiza su primera exposición, en la que también se pueden ver sus propios cuadros.

—¡Vaya! —exclamó Charlotte, presa de una extraña sensación.

¿Serían celos?, ¿envidia? La idea la hizo sentirse insignificante y mezquina, pero lo más probable era que se tratara de eso. En su opinión, era envidiable que una mujer joven tuviera tanta influencia en su país de adopción. Durante mucho tiempo, su vida se había visto reducida a la mera supervivencia, y no había podido decidir por sí misma.

—Debe de ser una mujer sorprendente.

—Lo es. Además, resulta que es una princesa de otro país que llevaba largo tiempo desaparecida.

—¿De verdad?

Supuso que ella misma era la hija largo tiempo desaparecida de un gánster, lo cual no era ni la mitad de glamuroso.

Miró a su alrededor y observó a una llamativa pareja. Él era un hombre alto, con el cabello negro peinado hacia atrás y vestido con un elegante traje negro. Ella era una mujer menuda de piel oscura, de cabello rizado y un vestido de noche dorado que realzaba el color de su piel.

—Frente a nosotros, hay un hombre muy guapo, alto, de cabello negro y sonrisa deslumbrante. Y, a su lado, una mujer muy hermosa con un vestido dorado.

—Supongo que son Felipe y Briar. Felipe atrae fácilmente la atención femenina.

—La mía la ha atraído.

—Nunca he visto a su mujer, desde luego, pero no se despega de ella, así que supongo que debe de ser la que está a su lado.

—Se acaba de unir a ellos otra pareja. El hombre

no es tan guapo. Tiene unas cicatrices horribles. Ella está embarazada.

–Es el príncipe Adam Katsaros, que supongo que está con Belle, su esposa. Adam tuvo un accidente terrible hace años. Se diría que es cosa de nuestro grupo de amigos. Solo Felipe sigue ileso, aunque creo que solo en sentido físico. Pero creo que su esposa le está ayudando mucho a curarse de sus heridas.

Que Rafe lo reconociera hizo feliz a Charlotte; que viera que a sus amigos los había curado el poder del amor de sus esposas. Tal vez reconociera que a él le podía pasar lo mismo. Tal vez.

–¿Vamos a hablar con ellos?

Él se echó a reír.

–Por supuesto. Si no lo hiciéramos, Felipe montaría una escena.

–No queremos que eso pase hasta estar preparados –dijo ella.

Él rio de nuevo y ella pensó que estaba haciendo bien las cosas, que había conseguido algo, que se había aproximado más de lo que creía a su objetivo.

Lo tomó del brazo y se dirigieron adonde se hallaban los amigos de él.

Su amigo Adam no manifestó emoción alguna, en tanto que Felipe los miró con interés. Las mujeres les sonrieron mientras se llevaban a cabo las presentaciones.

Charlotte se sintió… Añoró cosas que no tenía, la posibilidad de ser una pareja normal, una pareja de verdad, como las que tenían enfrente.

–¿Así que esta es la pieza del rompecabezas que faltaba? –preguntó Felipe.

–¿El rompecabezas? –preguntó Charlotte.

–El rompecabezas que es Rafe –aclaró Felipe–. Nunca dice nada sobre determinados aspectos de su pasado, de la época en que perdimos el contacto con él, entre la escuela y la edad adulta. Siempre he supuesto que había una mujer. Y veo que estaba en lo cierto.

–No sabes si procede de mi pasado –observó Rafe–. No lo he dicho.

–No lo sé, pero tengo muy buena intuición. Y es la primera vez que traes a una mujer a un acto de este tipo. Llevas cinco años viviendo básicamente como un monje. Por favor, corrígeme si me equivoco.

Rafe pareció molestarse, pero cambió la expresión por otra más controlada.

–Muy bien. Hace muchos años que conozco a Charlotte.

–¿La has secuestrado? Porque no te pareció bien que Adam y yo secuestráramos a nuestras esposas.

–¿Os secuestraron? –preguntó Charlotte a Belle y Briar, que intercambiaron una mirada y asintieron.

–Bueno, técnicamente, Adam me hizo prisionera –dijo Belle.

–Felipe, desde luego, me secuestró en un hospital.

Charlotte parpadeó.

–Bueno… –carraspeó–. Yo no soy su esposa.

–¿Pero estás secuestrada? –preguntó Felipe. Me parece que saber eso es lo más importante.

–Ya no –contestó Charlotte.

–Ya no –repitió Adam en tono seco–. Así que la secuestraste.

–Es increíble –dijo Felipe al tiempo que negaba con la cabeza–. Se diría que dos príncipes y un multimillonario serían capaces de encontrar esposa sin necesidad de recurrir a la fuerza.

–No soy su esposa –repitió Charlotte.

–Sois los primeros en saber –dijo Rafe– que Charlotte y yo vamos a tener gemelos.

Adam enarcó las cejas y Felipe sonrió de oreja a oreja.

–Enhorabuena.

–Hacemos bien en daros la enhorabuena, ¿verdad? –preguntó Adam

–Sí –contestó Rafe, molesto.

Era raro verlo con sus amigos. Ella pensaba que no tenía, porque, en casa de su padre, estaba en un lugar muy aislado, al igual que ella. Y, cuando ella había estado escondida, a pesar de que la prensa sensacionalista daba otra imagen de él, se lo había imaginado aislado en algunos aspectos. Se imaginaba que tendría amantes, peo no verdaderas relaciones.

–Pues esperamos que nos invitéis a la boda –dijo Felipe–. Si no es tu esposa, acabará siéndolo.

–No me lo ha pedido –observó Charlotte.

Las mujeres fulminaron a Rafe con la mirada.

–Encantada de conocerte, Charlotte –la princesa Briar le tendió la mano–. Debo ir a saludar a los invitados, como se espera de mí. Pero nos volveremos a ver.

La princesa hizo una leve reverencia y se perdió entre la multitud.

Felipe rio.

—Será mejor que la acompañe. Debo asegurarme de que agasajan a mi esposa como es debido, como corresponde a su posición —se alejó de ellos siguiendo a la princesa.

Charlotte y Rafe se quedaron con Adam y Belle.

—Quiero comer algo —dijo Belle en tono de disculpa—. Y también beber algo. Hace calor aquí.

A Charlotte le dio la impresión de estar viendo lo que le sucedería a ella en el futuro.

—Por supuesto —Adam la miró con preocupación. Se lo veía tan perdidamente enamorado de ella que Charlotte se conmovió. Y sintió un poco de envidia.

Se fueron los dos y Charlotte y Rafe se quedaron solos.

—Son agradables tus amigos —dijo ella—. Es sorprendente, teniendo en cuenta las circunstancias.

—¿Qué circunstancias?

—Tu forma de ser.

Él rio.

—A ti no parece importarte.

—No me importa —lo tomó del brazo y cruzaron el museo hasta llegar a la sala que se había preparado para bailar. Sonaba la música, y el corazón de ella comenzó a latir más deprisa.

—¿Bailamos? —preguntó ella.

—Hemos practicado, así que, ¿por qué no? —Rafe se detuvo junto a la pared y apoyó el bastón antes de tomar a Charlotte en sus brazos.

—Sí, lo hemos hecho.

Y él la condujo a la pista abriéndose paso entre la multitud. Era un hombre que esperaba que los demás se apartaran a su paso, para no tener que preocuparse de dónde pisaba.

—Supongo que vamos a montar la escena de la que hemos hablado.

—Probablemente —dijo ella al tiempo que le ponía la mano en el rostro—. Por eso nos mira todo el mundo.

—Estarán esperando que pise a alguien.

—No es probable. Al fin y al cabo, eres un poderoso multimillonario. Lo más probable sería que decidieran pisar ellos también a alguien, por si acaso se ha convertido en una tendencia.

Se movían siguiendo perfectamente el ritmo de la música. Charlotte no cerró los ojos, esa vez, para asegurarse de que no pisaban a nadie. La gente los observaba, probablemente porque Rafe Costa nunca había estado con una mujer en público. Y posiblemente porque estaba bailando.

A ella le daba igual el motivo. Lo único que le importaba era que por fin estaba a la vista de todos con el hombre al que quería, que la abrazaba ante el mundo. No había nada que esconder, nada de que avergonzarse. Por fin había sucedido lo que le había sido negado durante tantos años.

Tal vez ella no tuviera un gran plan ni el empuje de la esposa del príncipe Felipe. Pero tenía aquello, que era nuevo, especial y distinto. Tenía un amor desventurado que le había partido el corazón y que había hecho sufrir al hombre al que quería. Lo habían mantenido en secreto y se habían acariciado en secreto.

Pero eso se había acabado. Aquella vez no era así. A ella, todo le parecía luminoso, nuevo y posible.

Él la hizo girar sobre sí misma y la volvió a atraer hacia sí para abrazarla con fuerza y sin equivocarse en los pasos. Siguió haciéndola girar hasta marearla y dejarla sin aliento, hasta parecerle que estaban solos en la sala, como lo habían estado en el castillo.

Después, con las miradas de todos fijas en ellos, cruzaron el salón de baile de la mano y volvieron a las salas de exposición.

Él se puso detrás de ella y le colocó las manos en el vientre de forma posesiva. Se inclinó y le susurró:

—Descríbeme los cuadros.

—El que está justo enfrente de nosotros es una escena crepuscular. Se ve un gran campo con colinas onduladas al fondo. En ellas hay casas con las ventanas iluminadas. Probablemente sea la hora de la cena. Está oscuro, pero no lo suficiente para acostarse. Las familias están reunidas en torno a la mesa. Seguro que es a principios del invierno y que hace frío como en esas noches en que el frío te corta la piel. Y el calor de la casa te hace cosquillas en las mejillas cuando entras. Seguro que la gente que vive en esas casas tiene familia y está hablando con ella, contándole cómo le ha ido el día.

—¿Ves todo eso? —preguntó él con voz áspera.

—No lo sé. Me lo imagino. Pero es lo que me hace sentir el cuadro.

—Aunque viera, no creo que pudiera ver eso. Solo

vería las luces de las casas, no familias ni hogares felices. Que sigas poseyendo la capacidad de imaginarte esas cosas, y que lo hagas con facilidad, es casi un milagro.

–No me siento especial ni milagrosa. Solo soy Charlotte. No he montado una exposición como la princesa Briar. No he hecho nada. Cuando fui libre lo primero que hice fue ir a buscarte.

Lo miró y vio que había palidecido

–¿Qué te pasa, Rafe?

–Nada –respondió él–. Aunque creo que eres la primera persona que me ha buscado, salvo tu padre, pero era para matarme.

Siguieron paseando y ella continuó describiéndole los cuadros hasta que le dolieron la garganta y los pies; hasta estar a punto de quedarse dormida de pie.

–Ha sido un largo viaje. Sé que Felipe nos ha preparado una habitación. Tal vez sea hora de volver al palacio.

–Es mi segundo palacio en unas semanas. Me resulta todo un lujo.

–Quiero que disfrutes del lujo. Aunque, cada vez que te lo ofrezco, me recuerdas que tu padre también te lo proporcionaba y que era poco más que una cómoda prisión. Por eso, no sé muy bien cómo ofrecértelo.

–Estar contigo no es estar prisionera –dijo ella, que se sentía culpable porque él tenía razón. Le había ofrecido cosas que ella había rechazado porque, en realidad, no eran lo que deseaba. Ella lo deseaba a él por entero. Y él estaba dispuesto a ofrecerle cosas, pero se reservaba partes de sí mismo.

Su existencia era muy controlada. Él era muy controlado. Ella quería más, pero tenía la impresión de que, si le pedía más, él le diría que ya se lo había dado todo.

Volvieron a la puerta principal del museo y esperó mientras Rafe hablaba con un hombre que había fuera para que les consiguiera un coche. Hicieron el trayecto hasta el palacio en silencio.

Al llegar los escoltaron hasta una puerta lateral que los llevó más directamente a una habitación, o mejor dicho, a una serie de habitaciones, detrás del resto. Parecía un refugio privado, algo íntimo dentro de aquel inmenso palacio.

Cuando volvieron a estar solos, Rafe se volvió hacia ella con los ojos brillantes. Y ella vio en ellos la chispa de algo incontrolado, salvaje, casi animal. Se le puso la carne de gallina y se estremeció toda entera ante sus ojos sin vista.

–Tengo que pedirte una cosa, querida Charlotte –dijo él con voz dura–. Suéltate el cabello.

Esa vez, ella solo deseaba obedecerlo. Quería ofrecérselo con todo su ser, sin coacción alguna, porque todo ese tiempo había guardado su cabello para Rafe. Y no se lo había soltado las semanas anteriores porque aún no le había entregado su corazón. Pero, si ella lo quería todo de él, no podía reservarse nada de sí misma.

No podía seguirse protegiendo.

Estaba harta en muchos sentidos. Su padre no la

había querido, la había tratado como un objeto, como un peón en su juego. La había maltratado emocionalmente. Había perdido al hombre al que quería y se había imaginado que la había abandonado. Y había pasado cinco años viviendo en un extraño aislamiento.

Sin embargo, también se sentía muy inexperta. Como si la vida contuviera muchas maravillas que no había visto y que ansiaba contemplar.

No sabía cómo podía sentir ambas cosas en su interior: el cansancio profundo del mundo y su fascinación por él.

Pero era así. Formaban parte de ella, tuviera o no sentido.

Se quitó una horquilla y la tiró al suelo mientras un mechón dorado se desenrollaba y le caía en la espalda.

Él adoptó una expresión pétrea.

Ella se quitó otra horquilla y otra más, tirándolas al suelo. El sonido resonó en la silenciosa habitación.

El cabello le cayó en largos mechones hasta más abajo de la cintura; un cabello que le había parecido una carga, parte de su prisión, algo que pertenecía a su padre y no a ella, hasta que llegó Rafe.

Él la había cambiado y había modificado su visión del mundo.

–Solo para ti, príncipe mío –dijo cuando hubo acabado.

No esperó a que él se le acercara, sino que fue hacia él, le rodeó el cuello con los brazos y lo besó en los labios. Él levantó las manos y se las introdujo en el cabello, que se enrolló en los puños. Tiró de él para echarle la cabeza hacia atrás y hacer más profunda la exploración de su boca mientras su lengua se deslizaba por la de ella y le arañaba el borde del labio inferior con los dientes.

Ella gimió de placer, deleitándose en aquel preludio de algo que la iba a destruir, a cambiar irrevocablemente. A pesar de saberlo, no lo lamentaba ni quería parar.

Quería todo aquello, a él por entero. Aceptaría cada cosa que él le ofreciera.

Tal vez fuera ese su don; tal vez ella fuera eso, lo que la hacía especial. Esa capacidad de amar, de tener esperanza a pesar de todo lo que había sufrido. Le había parecido que no era nada, un lugar común. Sin embargo, después de haber conocido a los amigos de Rafe y de haberlo visto a él en su compañía, supo que no era así, que la oscuridad y la crueldad del mundo podían hacer que en alguien desparecieran el amor y la esperanza.

Y ella había sido objeto de la peor de las crueldades, pero su corazón había seguido albergando amor y esperanza, mientras se hallaba oculta. Y, aunque sabía que era un amor condenado, se había enamorado de Rafe y lo había seguido queriendo a pesar de creer que la había traicionado.

Sabía que podía ser la madre de sus hijos y que los querría de forma incondicional e ilimitada, a pesar de las iniquidades que su padre había cometido contra ella.

Aunque no había conocido a su madre biológica ni a ninguna otra, sabía que podía ser madre.

No había tenido en cuenta tales dones ni que dieran sentido a su vida. Pero así era. Era un milagro, una maravilla, y siempre había estado en su interior. Abrirse por completo ahora, entregándose por entero a él, concediéndole aquel momento de amor insensato que quería verter en él, con independencia de lo que él le diera a cambio, la hacía sentirse más completa de lo que recordaba haberse sentido en su vida.

Era un riesgo, y lo sabía. No obstante, era necesario. Sin él, sin aquel regalo que le ofrecía de forma gratuita, aquel amor salvaje e insensato, siempre estaría enjaulada en una jaula construida por ella misma. Se negaba a conceder eso a su padre y a su madrastra. Se negaba a dejarse vencer por ellos.

Se negaba a ocultarse.

Había salido a la luz con Rafe, en la pista de baile, así que seguiría así. Con él.

—Quiero que me describas el vestido que llevas mientras te lo quito de tu exquisito cuerpo —murmuró él contra sus labios.

—Por supuesto. Es de color púrpura oscuro y de mangas largas que empiezan por debajo del hombro. Tiene cremallera en la espalda.

Él agarró la cremallera y se la bajó despacio.

—La falda tiene mucho vuelo, así que no revela casi nada. Es muy discreta.

—Me gusta ser el guardián de tus secretos.

Ella lo miró y le acarició la comisura de los labios con el pulgar.

–Lo eres. Y espero ser la guardiana de los tuyos.

Él no respondió. Apartó las manos de su cabello y empujó el vestido hasta hacerlo caer al suelo.

–¿Y la ropa interior? –preguntó él.

–Es menos discreta. La he elegido pensando en que te la describiría. Es negra y fina.

Como si quisiera comprobarlo, él levantó la mano y le rozó un pezón con el pulgar por encima del sujetador de encaje.

Después se lo desabrochó y deslizó las manos por su cuerpo hasta las caderas para bajarle las braguitas y tirar ambas prendas al suelo.

Después, bruscamente, le dio la vuelta de modo que se quedara de espaldas a él, y le acarició hasta abajo la dorada y sedosa melena.

–Qué hermoso y suave. Es como si tuviera seda en las manos. Si no recuerdo mal, es del color del oro. He soñado con acariciarte, con acariciar tu suave e increíble belleza. Y tu cabello, que no tiene igual.

–Lo he guardado para ti –le confesó ella porque le pareció que era el momento de decírselo, ahora que no iba a callarse nada–. Solo para ti.

–¿Porque sabías que me gustaba?

–Sí, porque algo en mi interior se negaba a renunciar a nosotros, a pesar de lo que me habían dicho, a pesar de… todo. Una parte de mi corazón no podía olvidarte.

Y no lo haría nunca.

Pero eso no se lo dijo.

Él volvió a agarrarle el cabello y a enrollárselo en

el puño. Después la atrajo hacia sí y ella notó su dura e insistente excitación en las nalgas.

Lanzó un grito ahogado y se retorció contra él. Le parecía que se moriría si no lo tenía por entero: sus manos, su piel. Quería poseerlo por completo.

Estaba desnuda y él seguía vestido. Le pareció muy real, un exponente sincero de la situación: ella estaba dispuesta a exponerse; él seguía conteniéndose.

Pero no tuvo tiempo de protestar. Él se inclinó hacia delante.

—Descríbeme cómo es la habitación —dijo con voz ronca.

Ella apenas podía pensar y mucho menos describirle el espacio en que se hallaban. Pero hizo todo lo posible para complacerlo.

—La cama está frente a nosotros. A tu derecha hay una puerta, que supongo que conduce al cuarto de baño.

—¿Hay un tocador?

—Sí, a la izquierda, en medio de la pared del fondo.

Sin soltarla, él echó a andar en la dirección en que le había dicho que estaba el tocador.

—Llévanos —le pidió con voz ronca. Ella lo obedeció y se detuvo frente al mueble.

—Levanta las manos y apóyalas en la parte superior.

Ella lo hizo. Apretó las manos contra la brillante superficie de caoba mientras el corazón le latía a toda velocidad. Oyó que él se desabrochaba el cinturón y se bajaba la cremallera de los pantalones.

Él le apretó el cabello con más fuerza en el puño y le tiró de él para que echara la cabeza hacia atrás. Ella miró la imagen de ambos en el espejo. Rafe, a su espalda, parecía un ángel vengador. La vista de su propio cuerpo pálido y desnudo, con las manos de él agarrándola por las caderas con tanta fuerza como para dejarle la piel marcada, la hizo estremecerse de anticipación erótica.

Esa postura, probablemente, le hubiera asustado cinco años antes, le hubiera parecido que estaba amarrada, retenida. Pero, con las cosas que acababa de descubrir, no le molestó en absoluto, sino que la excitó. Conocía el poder que tenía sobre él. Y sabía con exactitud lo que ella deseaba. Sabía que, aunque él tuviera la fuerza física, con la que la asía fuertemente y la tenía inmovilizada en aquella postura de sumisión, ella poseía su propia fuerza.

Que tenía el poder de hacer que él se arrodillara.

Pero no deseaba hacerlo.

Ya le habían hecho ponerse de rodillas. Lo habían herido, traicionado. Lo habían dado por muerto los dos hombres que habían desempeñado la figura paterna en su vida.

Ella no iba a pedirle eso.

Nunca se lo exigiría.

Él se situó en la entrada de su cuerpo y echó las caderas hacia delante apretándola con más firmeza contra el borde del tocador.

–Quiero que nos mires. Hay un espejo, ¿verdad?

–Sí –contestó ella temblando.

–Míranos –ordenó él–. Y dime lo que ves.

La penetró de una embestida y ella ahogó un grito al tiempo que miraba, como él le había pedido.

—Yo…

Él la embistió con más fuerza y aceleró el ritmo. Y aunque ella quería obedecerle, no sabía por dónde empezar ni qué decir. Era evidente que la mujer que la miraba desde el espejo estaba en éxtasis. Tenía las mejillas rojas y los ojos húmedos de deseo.

Sus senos, con los pezones endurecidos, se movían cada vez que él la embestía. Y estaba él. Alto, musculoso y perfecto. Sus ojos oscuros despedían fuego negro, tenía la mandíbula tensa, los dientes apretados y una mueca en los labios.

Ella agachó la cabeza y apoyó la mejilla en la fresca superficie del espejo intentando refrescarse la piel caliente. Esperaba que él la regañase, pero no lo hizo.

Gimió mientras él no paraba de embestirla. La madera se le clavaba en la piel y le dolía el cuero cabelludo. Él le tiró del cabello con fuerza para obligarla a alzar la vista y mirarse al espejo. A cualquiera que la hubiera visto en ese momento probablemente le hubiera parecido un ángel caído en desgracia.

Sin embargo, ella pensó que parecía más bien que estaba hallando la salvación y la libertad. No había nada de que avergonzarse, nada que esconder.

Cuando emitía sonidos de placer, no se avergonzaba; cuando el tocador golpeaba la pared debido a las embestidas de él, deseaba más, que la habitación entera se desplomara sobre ellos.

Todo ello era una prueba de que el paisaje había cambiado en su interior.

De que ellos habían cambiado el entorno, y no al revés.

Habían estado encerrados demasiado tiempo.

—Tómame —susurró ella—. Más fuerte, por favor. Te deseo.

Él gruñó y la obedeció. Sus movimientos se volvieron incontrolables, casi violentos. Y ella se deleitó en ellos, en las sombras que conllevaba hacer el amor; lo no civilizado, innoble y salvaje; lo suave y hermoso; lo delicado y rudo; lo placentero y doloroso.

Él se detuvo de repente y se retiró de su cuerpo. La giró hacia él y la tomó en brazos.

—Indícame dónde está la cama.

—Justo detrás de ti —dijo ella sin aliento. Notaba las piernas como si fueran de gelatina.

Si él no la llevara en brazos, se habría caído al suelo.

Él cruzó la habitación despacio y ella se lo indicó cuando llegaron al borde de la cama. Se tumbaron y él se la colocó encima. El cabello de ella los protegía y le caía a él sobre el pecho.

Rafe se lo acarició y entrelazó los dedos en él.

—La oscuridad es mi mundo —afirmó con voz ronca—. Pero, cuando estás conmigo, cuando estoy dentro de ti, vuelvo a ver la luz. Y da igual que no esté ahí, que solo se halle en mi cerebro. Es la única luz que tengo.

Una lágrima se deslizó por la mejilla de Charlotte. Dio gracias de que Rafe no la viera, porque no le gustaría que llorara por él ni siquiera un poco. Se enfadaría y le diría que él no era frágil. Y ella sabía que no lo era.

Charlotte se balanceó arriba y abajo sobre su cuerpo. Los dos se descontrolaron y se acercaron al borde de la locura. Ella dejó que las lágrimas le cayeran libremente cuando el placer se le enroscó en el estómago y le estalló en una oleada que la anegó.

Él casi le hacía daño en las caderas, pero no le importaba, sino que lo agradecía; agradecía esa falta de control, cómo gruñía cuando la embestía profundamente y los improperios que soltaba tanto en inglés como en italiano, con tanta facilidad como le decía palabras cariñosas y de estímulo.

El mundo volvió a desaparecer. Solo existían Rafe y ella, lo cual debería haberla asustado, porque ya había vivido en un mundo muy reducido. Pero ese no había sido fruto de su elección. El de ahora lo era.

Era un mundo elegido por ambos.

Y no se trataba de un mundo controlado, asfixiante, limitador y opresivo. Se trataba del amor, al menos para ella.

El clímax cayó sobre Charlotte como un cristal que le cortara profundamente la piel y el alma, con una luminosa belleza que no cesaba mientras ella se convulsionaba en torno a su masculinidad.

Rafe emitió un fiero gruñido y efectuó una última embestida antes de derramarse en el interior de ella.

Charlotte se desplomó sobre su pecho, con el cabello enmarañado cubriéndolos a los dos. Él se lo acarició introduciéndole los dedos entre los mechones dorados. Ella cerró los ojos para disfrutar de la sensación. La forma en que él la acariciaba hacía que se sintiera valiosa, no como si él la poseyera ni como si fuera un objeto.

En sus brazos, a pesar del futuro incierto, se sintió más ella misma que nunca.

Cuando tenía dieciocho años, cuando Rafe y ella eran poco más que unos niños, al menos emocionalmente, había visto lo que significaba estar enamorada solo desde su punto de vista. La excitación, el peligro… Era real, pero de una sola dimensión.

Asimismo, él había sido el único hombre que tenía cerca. No era ese el caso en aquellos momentos. Se había pasado cinco años viajando sin encontrar a nadie que la atrajese como Rafe. Había ido a Londres a buscarlo. Aunque la hubiera secuestrado y la hubiera llevado a un castillo, el embarazo los había obligado a estar juntos.

Sin embargo, en realidad no había habido obligación alguna.

Hacía mucho tiempo que ella había elegido a Rafe. Y el desarrollo de los acontecimientos de los meses anteriores lo confirmaba.

Vertió otra lágrima, que fue a caer al pecho de él, por lo que supo que iba a darse cuenta de que lloraba. Pero no le importó. Aunque se enfadara, ella se enfrentaría a su ira, ya que no estaba allí solo por la felicidad de estar ni para complacerlo. Eso no era el amor.

El amor lo era todo, todo él y toda ella. Era cierto que él, en ciertos aspectos, era brusco y difícil, y que ella era cínica y tristemente inexperta. Pero confiaba en que hallarían la manera de encajar.

Confiaba en que hallarían la manera de serlo todo el uno para el otro y para sí mismos.

—Rafe —susurró mientras lo besaba en el pecho—. Te quiero.

A Rafe le pareció que el mundo se desplomaba a su alrededor y se hacía pedazos que no podía recoger a la velocidad a la que caían. Le pareció que las paredes se le caían encima.

Se apartó de Charlotte y se sentó en la cama. El corazón estaba a punto de estallarle.

—No me quieres.

—¿Ah, no? ¿De verdad? ¿Por qué crees que estoy contigo, Rafe?, ¿porque me gustan los castillos? ¿No te he dejado clara mi postura al respecto?

—Sí, pero lo que sientes no es amor.

—¿En serio?

Charlotte se había enfadado, y él se dijo que no podía culparla. Pero había una bestia desesperada que le rondaba por el pecho y no podía controlarla ni detenerla, lo cual detestaba. Detestaba sentirse no solo fuera de control, sino también totalmente a merced de algo que no veía ni podía tocar con las manos.

La vista no lo habría ayudado en ese momento. Aunque hubiera visto, no le habría resultado más fácil enfrentarse a aquello.

El amor. El amor solo era dolor y falsas esperanzas.

Una hermosa figurita de cristal que te ponían delante y que se hacía añicos en el suelo cuando ibas a agarrarla.

Un cuerpo que funcionaba bien hasta que lo empujaban por un balcón y chocaba contra el suelo.

Conocía muy bien esa clase de dolor.

¿Cuántas veces necesitaba un hombre que le mostraran el destino final del amor para que se lo creyera?

El final del amor, y siempre había un final, era el dolor. Siempre, eternamente.

–Yo no te quiero –dijo él con dureza–. Así que llámalo como quieras o pide lo que quieras, que nunca me oirás decir esas palabras, Charlotte.

–Eso no tiene sentido –respondió ella.

Por supuesto que no iba a darse por vencida tan fácilmente. Nunca lo hacía. Era inquisitiva y lo provocaba, como siempre había hecho.

Carecía de sentido común. Cualquier otra mujer que se hubiera pasado la vida bajo el dictado autocrático de un loco le tendría mucho más miedo, desde luego. Sería menos probable que dijera lo que pensaba, que se arriesgara. Pero Charlotte no parecía haberse percatado de que su espíritu tenía que estar afectado, si no aplastado, tras sus experiencias.

Era una estúpida.

No sabía protegerse.

Y él no lo entendía.

–No hace falta que tenga sentido para que sea verdad –dijo él–. ¿Qué es el amor, Charlotte? ¿Cuándo nos ha servido para algo a alguno de los dos?

–¿No vas a querer a tus hijos, Rafe? Si no lo vas a hacer, ¿qué sentido tiene que los reclames? ¿O que me secuestraras? ¿El de tenernos como posesiones? En ese caso, ¿en qué te distingues de mi padre? Afirmas que no eres como él. Me lo juras. Sin embargo, si lo único que quieres en tenerme para controlarme, tener a tus hijos para controlarlos, ¿no es lo mismo que hacía mi padre? Después de todos estos años, ¿no es una muestra de sadismo?

Se apartó de él, que notó que el colchón se movía, por lo que dedujo que se había levantado. La oyó andar descalza, lo cual se lo confirmó.

–He llegado a la conclusión de que el amor es lo que nos hace humanos, la que nos hace libres, valientes, buenos. Si no, nos retraemos. Si no somos capaces de querer, nos volvemos seres insignificantes y egoístas que solo se preocupan de su propio interés.

–El interés personal es importante. Sin él, yo habría muerto.

–Pero no puede ser lo único. El propio interés es lo que impulsa a los hombres a erigir imperios que no hacen más que hacer daño y oprimir. Es lo que crea a hombres como mi padre. El amor los destruye.

–Entonces, puede que me parezca más a tu padre de lo que creo, porque lo único que ha hecho el amor ha sido destruirme.

–Rafe…

–Quería a mi padre y me encantaba mi vida y mi hogar. Sin embargo, al final, eso solo me trajo dolor.

Te quería, ¿y qué logré al hacerlo? –lanzó una carcajada corta y sin alegría–. Dices que el amor da, pero
sé por experiencia que solo quita. Estuve a punto de
morir por nuestro amor y, ¿dónde estabas tú al final?
Creíste con demasiada facilidad que te había abandonado.

–Y tú creíste lo mismo de mí. Te has buscado una
salida muy conveniente para poder tener esta discu-
sión conmigo. Yo estaba escondida porque temía por
mi vida. Tú estabas herido y no podías ir a buscarme.
Lo entiendo. Pero, en cuanto dejé de temer por mi
vida, fui a buscarte. Fue lo primero que hice.

Él apretó los dientes, avergonzado. Acusarla de
haberlo abandonado era injusto. Pero él no era un
hombre justo. Se sentía destrozado y furioso, y totalmente impotente para dejar de estarlo.

–¿Qué importa el amor, Charlotte? Al final, ¿qué
importa?

Ella se quedó callada durante unos segundos;
luego emitió un sonido ahogado.

–Lo es todo, ¿no lo entiendes? Es absolutamente
todo.

–Lo que entiendo es que ha sido en elemento fundamental de las pérdidas más terribles que he sufrido. Creerme que me querían; confiar en ello; confiar en alguien que no fuera yo mismo. Ahora creo en
el dinero y en las cosas que puedo crear y controlar.
En nada más.

–¿Crees en mí, Rafe?

Y él supo que, en cierto sentido, volvía a estar al
borde de aquel balcón; que ese era uno de esos mo-

mentos en que se construía algo o se destruía. Debía elegir.

Pero lo habían herido y abandonado. Y había caído.

No podía volver a pasar por lo mismo.

—No puedo —contestó con voz ronca.

Oyó el suave susurro de la tela y supo que ella se estaba vistiendo, que se preparaba para dejarlo. Y se puso furioso.

—Así que me quieres, pero vas a dejarme —dijo con dureza—. Me vas a abandonar porque no puedo darte lo que me pides. ¿Qué amor es ese, Charlotte? Me parece débil y egoísta.

Oyó sus zapatos pisar el suelo y supo que estaba lista para marcharse y que por mucho que arremetiera contra ella no iba a detenerla.

—No lo sé —contestó ella—. Tal vez lo sea. Lo único que sé es que ya he vivido en una torre antes, Rafe. Sola, aislada y ocultando mi corazón. Y no quiero que se repita. Te quiero de verdad, pero no creo que quedarme contigo y fingir que no te quiero nos vaya a hacer un a favor a ninguno de los dos. Pienso que, ahora, quererte significa marcharme, porque, para poder quererte como deseo, como necesito, debo cuidar de mí misma, de mi corazón. También debo marcharme por nuestros hijos. No voy a impedir que los veas, entiéndelo. No voy a arrebatártelos. Pero me marcho porque no puedo…

Respiró hondo y él se imaginó el aspecto que tendría: frágil pero fuerte. Y se sintió destrozado.

—No puedo seguir escondiéndome —prosiguió

ella–. No puedo retroceder. Después de haberme abierto a ti, no puedo volver a cerrarme. Y no voy a hacerlo. El mundo es cruel, duro e injusto. Pero, sabiéndolo, soy lo suficientemente valiente para quererte. Y me parece que me merezco lo mismo y que no debo conformarme con menos.

Y se fue. Rafe oyó sus pasos alejándose cada vez más. Y el siguió sentado durante unos segundos, sin saber qué hacer.

Se levantó y se estiró la ropa a toda prisa para cubrirse lo que era importante, antes de salir al pasillo.

No llevaba el bastón ni sabía en qué dirección se había ido ella. Aguzó el oído para escuchar sus pasos, pero no oyó nada.

Y lo envolvió la oscuridad. Charlotte era su luz, pero se había marchado. Y él no tenía ni idea de qué debía hacer, de cómo iba a sobrevivir, de cómo iba a seguir adelante.

Sencillamente, no quería hacerlo. Lo que deseaba era que estuviera con él, que le diera su amor sin que él tuviera que ofrecerle nada a cambio, ya que el amor para él solo significaba pérdida.

Pero aquella pérdida era mucho mayor que las otras que había sufrido. Cuando se había caído de la torre, lo habían dejado herido y sangrando, en sentido literal. Y se volvía a sentir igual, como si fuera a desangrarse en el suelo de piedra del castillo, con el corazón destrozado y desangrándose a cada latido.

Oyó algo que se movía y echó a correr. No se dio cuenta de que había una escalera hasta que se cayó.

Se golpeó la sien contra el borde de algo y sintió un fuerte dolor en la cabeza que le descendió por la columna vertebral. Durante unos instantes no supo nada ni sintió nada.

Y, cuando recuperó la conciencia y abrió los ojos, un rayo de luz traspasó la oscuridad.

Capítulo 13

CHARLOTTE no se estaba escondiendo de él. Menos mal que no la había seguido. Intentó convencerse de que era lo mejor, aunque, en realidad, le dolía.

Porque, aunque al principio la hubiera secuestrado y llevado a un castillo en Alemania, ahora ella estaba en su piso de Londres, donde Rafe podía hallarla fácilmente si lo deseaba. No era así.

Parecía que su amor lo repelía.

Al menos, comenzaban a disminuirle las náuseas matinales, aunque seguía sin querer levantarse de la cama.

Rafe ya le había partido el corazón otra vez, pero ahora era distinto, porque era lo que ella había elegido.

Podía haberse quedado con él para siempre e intentado acostumbrarse a que no correspondiera a su amor. Podía haberle ocultado su amor, no hablarle nunca de él; que no hubiera sido un problema.

Sin embargo, no lo había hecho.

Le había exigido amor. Se lo había exigido, había insistido y se había negado a ocultar sus sentimientos hacia él.

Le dolía tanto que le resultaba difícil convencerse de que era una cosa buena. Sin embargo, en el fondo de su corazón sabía que era mejor así.

Respiró hondo y abrió el ordenador portátil. Había estado haciendo consultas para matricularse en algún curso,

Sería difícil con los gemelos, pero no estaba en la indigencia.

No podía quedarse sentada sin hacer nada.

Bueno, podía hacerlo, pero se volvería loca. Necesitaba tener un propósito, una meta; saber al menos lo que le interesaba, porque se había pasado buena parte de su vida sin saberlo.

Tal vez pudiera estudiar algo por Internet mientras los gemelos fueran pequeños, lo cual le daría la oportunidad de averiguar lo que quería hacer. Eso sería útil. Su padre había controlado su educación por completo, por lo que estaría bien que ampliara sus horizontes.

Quería quedarse en Londres, desde luego, porque, auque Rafe le hubiera partido el corazón, tenía que estar cerca de él por los niños.

Le pareció que le apuñalaban el pecho. Iba a ser madre, pero no iba a tener esposo. En realidad, lo de no tenerlo no le importaba. No quería tener cualquier esposo. Quería a Rafe como esposo, como novio y como captor... como lo que fuera.

Pero se había marchado de su lado.

Le había exigido amor, a pesar de que aún no tenía la seguridad de merecérselo. En su vida, nunca se lo habían dado libremente.

De hecho, Rafe había sido el único que se lo había proporcionado, pero eso había sido cinco años antes. Y, cuando su madrastra había aniquilado el sueño de estar los dos juntos, cuando le había arrebatado la vista, le había quitado también, aparentemente, la capacidad de amar.

La odiaba por eso. La odiaba a ella y a su padre. Y también al padre de Rafe, por buenos motivos: por echarlo de su casa y por romper por pura maldad un bonito objeto que a Rafe le gustaba. Pero todo ese odio no servía para nada.

Aunque tampoco su amor, por lo que pensaba que era justo reservar un rinconcito de su corazón para la ira contra aquellas personas.

Respiró hondo y miró por la ventana. Le faltaban seis meses y medio para dar a luz. Verdaderamente, necesitaba hallar algo en lo que ocuparse.

Ya no estaba encerrada en ningún sitio.

Se dirigió a la puerta con decisión y se puso un largo abrigo. Después agarró la bufanda de cuadros y se la enrolló en el cuello.

Salió a la calle y se esforzó en disfrutar del brillo de los adornos navideños, que ya estaban colocados a finales de noviembre.

No estaba muy alegre, a diferencia de la ciudad. Y podía desplazarse por ella con total libertad. Así que eso era un motivo de alegría.

Pasó por delante de unos elevados edificios de ladrillo rodeados de un pequeño parque. Las estrechas calles estaban tranquilas hasta desembocar en un cruce. Y ella se dio cuenta de adónde había llegado.

A sus grandes almacenes preferidos, donde le gustaba ver los escaparates. Estaban adornados con luces navideñas y a ella le pareció que le daban la bienvenida.

De repente, tuvo una inspiración. Como se acercaba la Navidad, muchas tiendas necesitarían personal de refuerzo. Siempre le había gustado trabajar en tiendas. Le gustaba hablar con la gente, y, desde luego, era mejor que quedarse sentada con aire taciturno. Tal vez no fuera un plan a largo plazo; o tal vez sí. Era fácil aceptar la idea de que si no llevaba a cabo la programación artística de un país o estudiaba en la universidad no estaba haciendo nada. Pero le gustaba vender. Le había dado la oportunidad de estar con gente después de tantos años sola. La había hecho feliz. Había aportado alegría a su triste vida.

Pues bien, su vida era condenadamente triste en aquellos momentos.

Al menos, durante unas semanas, vería a gente sonriente y disfrutaría del ajetreo navideño. Y dejaría de pensar.

Así, muy decidida, pasó por debajo de los toldos verdes y entró en los almacenes a pedir trabajo.

–Es difícil de explicar, señor Costa, pero su lesión siempre ha sido inexplicable –el médico de Rafe examinaba delante de este los resultados de un escáner–. Me parece que se ha lesionado el cerebro en esta última caída. Y que el trauma y la inflamación del tejido cerebral, unidos a la nueva cicatrización, han dado la oportunidad a su cerebro de corregir parte del daño anterior.

Rafe miró al hombre que tenía frente a él, de pelo cano y profundas arrugas en el rostro. El doctor Keller era el médico al que había acudido desde su llegada a Londres, pero, en realidad, nunca lo había visto.

Ahora lo veía. Lo veía todo.

—Entonces, básicamente, ¿la caída ha producido lo que usted esperaba que hiciera el cerebro por sí solo después del primer accidente?

—Sí.

—¿Y habrá marcha atrás mientras se sigue produciendo la cicatrización? ¿Volverá a estar mi cerebro como estaba? —cuando se despertaba por la mañana y abría los ojos esperaba encontrarse con la oscuridad. Sin embargo, la luz entraba por la ventana y la veía.

Pero Charlotte seguía lejos.

El médico se encogió de hombros.

—No le puedo contestar a eso. No veo por qué iba a ser así, pero tampoco podría haberle dicho que otro golpe en la cabeza le haría recuperar la vista, ya que, entonces, hace tiempo que le hubiera propuesto darle un martillazo.

El médico bromeaba, pero Rafe no tenía ganas de reírse.

Había transcurrido una semana desde que la caída en el castillo se había traducido en sus primeros atisbos de luz desde hacía cinco años. Y, desde entonces, la vista se le había ido volviendo más clara. Al principio, solo había sido un aumento de la luz y las formas, pero, a medida que la inflamación del impacto había ido disminuyendo, la vista le había vuelto con fuerza.

Aún no era perfecta, según le habían dicho. A él le parecía buena, aunque su marco de referencia no era el más adecuado, ya que llevaba media década sin ver nada más que grises y negros.

Debería sentirse… No lo sabía. Debería sentirse feliz. Volvía a ver la luz. Pero la luz de su corazón se había extinguido. Charlotte se había ido y la vista le había vuelto. No se le ocurría una paradoja mayor, como si hubiera tenido que perder a la primera para recuperar la segunda.

Le dolía todo: la cabeza por el golpe; el pecho por la pérdida de Charlotte.

Y sabía que debería sonreír y estar contento por ser una especie de maravilla y milagro médicos, justo en Navidad. Era indudable que, cuando la prensa se enterara, tendría que hacer declaraciones.

No tenía nada que decir.

Frunció el ceño y se esforzó en dar las gracias al médico, antes de marcharse de la consulta y salir a la calle. Ese día había decidido ir andando, simplemente porque podía hacerlo sin un guía ni la ayuda del bastón.

Odiaba los adornos navideños, la luces sobre su cabeza. La alegría general se burlaba de la agitación de su alma.

Que hubiera alguien sonriendo cuando él se sentía así.

Sabía que era culpa suya que Charlotte lo hubiera abandonado, pero no podía enfrentarse a más pérdidas. Y estaba convencido de que el amor era el veneno que se las había producido.

Pero Charlotte ya no estaba, se había ido. Y sufría por ello. Que ella le hubiera dicho esas palabras, que él se las hubiera creído o no… Nada de eso importaba ahora, cuando se sentía aplastado por el peso de la desesperación.

Cruzó el vestíbulo de su edificio sin fijarse en su opulencia, lo cual era extraño. Pero no podía molestarse en contemplar los detalles de un lugar que había adquirido después de haber perdido la vista.

Lo que más le gustaba era la vista desde su despacho. Había elegido bien, aunque lo hubiera hecho por el mezquino deseo de que no lo adquiriera otro hombre acaudalado. Ahora lo disfrutaba enormemente.

Entró en el ascensor dorado, que le parecía un poco chabacano, y lo iba a cambiar, y pulsó el botón que lo subiría a la planta donde se hallaba el despacho.

Al salir, su secretaria, sentada al escritorio, parecía agitada.

—Tiene visita.

Parecía preocupada, a lo cual él no estaba acostumbrado. Pero se preguntó si no se le daría muy bien hablar con voz tranquila, a pesar de estar frecuentemente preocupada, cosa que él no habría notado.

—¿Por qué la has dejado entrar? Sabes que no estoy de buen humor.

—Bueno, a pesar de lo terrible que puede usted llegar a ser, no estaba segura de cómo rechazar a dos príncipes.

Rafe masculló una maldición. Adam y Felipe estaban allí.

—No podías haberlos rechazado, desde luego. Ya me ocupo yo. No te preocupes.

Entró en el despacho, donde lo esperaban Adam, que verdaderamente tenía unas cicatrices horribles, y Felipe.

—Tenéis un aspecto terrible —dijo a modo de saludo.

—Entonces, es verdad —afirmó Adam—. ¿Vuelves a ver?

—¿Ya se ha extendido el rumor? Estoy empezando a hacerme a la idea. No sabía que ya lo supiera todo el mundo.

—No lo sabe todo el mundo —dijo Adam en tono imperioso—. Pero Belle habló con el ama de llaves de tu castillo alemán y esta se lo debió de mencionar.

—Debería despedir a Della por ser tan indiscreta.

—No lo harás —observó Felipe en tono alegre.

—Puede que sí.

—Has recuperado la vista —dijo Adam—, pero estás de peor humor que la última vez que te vi, lo que me hace pensar que el otro rumor que corre también es verdad: has perdido a tu rehén.

—No era mi rehén —contestó Rafe—. Pero, en efecto, confirmo tus sospechas: Charlotte ha vuelto a su casa.

Charlotte, a la que se había hecho el firme propósito de no ver, después de haber recuperado la vista,

porque si la veía se perdería por completo y le pro-
metería lo que fuera. Su resistencia era limitada.

—Estaba contigo —intervino Felipe— y, de pronto,
la vieron salir corriendo de mi palacio, muy tarde,
hace una semana. Nadie la ha vuelto a ver.

—Seguro que alguien la ha visto desde entonces —
afirmó Rafe con sequedad.

—Por eso Belle estuvo indagando —dijo Adam—
porque Briar se enteró de que había abandonado el
palacio. Estaban preocupadas.

—¿Y ninguno de vosotros pensó en preguntarme?

—Eres un canalla gruñón —apuntó Felipe—. No
queríamos hablar contigo hasta que te pudiéramos
obligar a hacerlo.

—Menudos amigos estáis hechos.

—Los mejores —afirmó Adam en tono duro—. Por
eso estoy aquí, para preguntarte si eres estúpido.

—¿Te parezco estúpido?

Adam lo miró de arriba abajo.

—Sí, bastante, porque estás aquí sin Charlotte, que
es evidente que te quiere. Va a tener hijos tuyos y,
¿qué haces tú?

—Me ha dejado —gruño Rafe—. No he sido yo el
que le he dicho que se fuera. Se marchó por propia
voluntad.

—¿Sin motivo? —preguntó Felipe.

—Por ningún motivo verdaderamente importante.

—Pero debía de serlo para ella, ya que se fue.

—Vosotros dos os casáis y creéis que lo sabéis
todo. Sin embargo, tuvisteis que secuestrar a vues-

tras esposas. Así que puede que no sepáis más que yo y que, simplemente, hayáis tenido suerte.

—¿Qué pasó? —preguntó Adam con voz sincera.

A Rafe todavía le desagradaba más que Adam fuera sincero.

—Me dijo que me quería y me exigió que la correspondiera —sus amigos se limitaron a mirarlo fijamente—. No la quiero.

—Eso son tonte… —Felipe no pudo acabar la frase, porque lo interrumpió Rafe.

—¿Acaso eres ahora un experto en cuestiones de amor?

—Más que tú, desde luego —replicó Felipe.

—El amor no ha hecho nada por mí en la vida. Concretamente, querer a Charlotte me costó la vista. Es un chiste de proporciones cósmicas, o tal vez un mensaje del universo, que la haya recuperado después de que me haya dejado.

—Tal vez no. Puede que sea una simple coincidencia y que estés buscando una razón, la que sea, para evitar ser feliz —afirmó Felipe examinándolo con su enigmática mirada.

—No quiero evitar ser feliz —insistió Rafe—. Sería una locura. Es evidente que me gustaría que la felicidad reinara en mi vida. Si me diera igual, ¿por qué me habría esforzado tanto en ganar dinero para comprar todas las malditas cosas que poseo?

Agarró una figurita del escritorio que le recordaba a la que había roto su padre antes de echarlo de su casa.

La lanzó contra la pared.

–¿Veis? Como tengo dinero no significa nada para mí, porque puedo sustituirla. Eso es la felicidad.

–No digas tonterías –insistió Felipe–. No quieres ser feliz porque, si lo fueras, podrías dejar de serlo. Te podrían arrebatar la felicidad.

–Me gusta lo que controlo –dijo Rafe–. Y no se te ocurra decirme que tú no eres igual.

–Lo era. Era exactamente igual que tú hasta que me percaté de que una vida que controlas está vacía.

–¿Crees que no te entiendo? –preguntó Adam–. Yo quería a mi primera esposa y la perdí. Murió. Enamorarme de Belle fue, al principio, la mayor desgracia que me podía haber ocurrido, lo que menos deseaba. No quería abrirle mi corazón, después de todo lo que había perdido. Pero lo hice. Y ha merecido la pena, porque he encontrado una felicidad que no creía que volvería a sentir, una felicidad que me parecía imposible.

–No voy a aceptar más pérdidas –contestó Rafe–. El amor cuesta demasiado. Lo sé, y no quiero repetir la experiencia.

–¿Y tus hijos? –preguntó Adam–. ¿No vas a quererlos? ¿Qué padre serás? ¿Serás como el tuyo?

Rafe extendió el brazo y vio exactamente por dónde agarró a su amigo de la chaqueta. Porque ahora veía, así que Adam debería andarse con cuidado.

–Ya tienes la cara bastante destrozada y no querría estropeártela más. Pero lo haré.

–Lo único que digo –insistió Adam– es que me parece que tu padre, tu padre biológico, estaba lo suficientemente atrofiado desde el punto de vista emocional como para echar a la calle a su amante y a su hijo. Cuando te aíslas, te conviertes en un monstruo. Hazme caso, lo sé por experiencia. Yo fui el monstruo del castillo, Rafe, escondido del mundo, apartado de todos. Y hallé la salida gracias al amor, a Belle. Te están ofreciendo la salvación, una salida de la oscuridad. Tal vez esa sea la metáfora más adecuada para ti.

Rafe retrocedió y soltó la chaqueta de Adam.

—Mis hijos me tendrán a su lado, pero eso…es demasiado pedir.

—¿Porque un día podrías perder a Charlotte?

—Ya la perdí una vez y estuvo a punto de costarme la vida, en sentido literal.

—Así que terminas con ella, antes de que ella lo haga contigo o de que algo malo le pase.

Adam miró a su alrededor y se dirigió al escritorio. Tomó un puntiagudo abrecartas y se lo tendió a Rafe.

—Creo que deberías sacarte los ojos.

Felipe enarcó una ceja.

—No sé si me asquea o me impresiona el giro que están tomando las cosas.

—Lo que quiero decir —prosiguió Adam— es que si intentas evitar una pérdida causándola tú mismo, es como si quisieras sacarte los ojos, ya que no tienes garantías de no volver a perder la vista. Y, si eso te parece excesivo, pégatelos con celo para no volverlos a abrir. Aunque puedas ver, vivirás como un ciego, para que, si sucede algo y te vuelven a arrebatar el milagro de la vista, no te sientas decepcionado.

Los dos amigos se miraron. Rafe no dijo nada.

Adam dejó el abrecartas en su sitio.

—O tal vez, amigo mío, mientras sigas poseyendo el sentido de la vista, deberías permitirte ver.

—¡Maldita sea! —exclamó Rafe.

—Me marcho.

Sin añadir nada más, su amigo salió del despacho, furioso.

Felipe miró a Rafe.

—Tiene razón —afirmó—. Me duele decirlo, pero es así. Tiene razón sobre lo de la luz y la oscuridad y las decisiones que tomamos. Los tres hemos estado mucho tiempo en la oscuridad, Rafe. Adam me dijo que debía elegir entre seguir viviendo en las sombras o salir a la luz. Tú tienes que elegir ahora. Puedes tener a Charlotte, así que hazlo. Si no lo haces, no serás el hombre que siempre he pensado, al que creía conocer.

Extendió la mano para tocar el abrecartas.

—Sé que en el colegio creías que no eras como nosotros, porque nosotros pertenecíamos a la realeza y tus orígenes eran humildes. Pero siempre has sido un hombre de talla superior a casi todos los que nos rodeaban, con todo lo necesario parar ser rey. Si no lo demuestras ahora, no estoy seguro de conocerte.

Esa vez fue Felipe quien se marchó dejando a Rafe con un doloroso vacío en el pecho.

Se dirigió lentamente a la ventana a contemplar Londres a sus pies, sus icónicos edificios y el atardecer rosa y anaranjado que iluminaba el agua del Támesis. Colores, luces… Veía. Y, si volvía a quedarse sin vista, era indudable que sentiría un profundo dolor. Era inconcebible recordar la belleza del mundo para volver a perderla; pero también lo era estar un solo día sin ver, ahora que había recuperado la capacidad de hacerlo.

Era innegable que sacarse los ojos ahora sería una estupidez.

Renunciar a Charlotte cuando tenía su amor…

¿Era distinto? Elegía seguir en la oscuridad cuando podía tener la luz, seguir aislado cuando podría tener amor.

Pero, si iba a buscarla, si la veía, estaría perdido. No podría controlar sus emociones ni recuperar el dominio de su corazón. Si se permitía amarla, estaría a merced de cosas que no controlaría.

Podía elegir entre seguir allí aparentemente orgulloso, intacto y solo, o ponerse a merced de ella y arriesgarse a volver a sufrir.

La mera idea le repugnaba: la idea del riesgo, de la posible pérdida.

No obstante, pensó en cómo había sido su vida cuando tenía amor, el tiempo pasado en brazos de Charlotte. No era el amor lo que había perdido, sino la calidez, el color, la luz.

Había vuelto a encontrar la luz, pero debía elegir entre seguir o no en la oscuridad.

No más oscuridad.

Se apartó de la ventana y salió del despacho con paso decidido.

Capítulo 14

CHARLOTTE estaba agotada después de haber trabajado todo el día. Había mucho movimiento en los almacenes a causa de las vacaciones navideñas, pero a ella le gustaba su trabajo en la sección de pastelería. Nunca había visto nada igual a aquellos maravillosos pasteles detrás de las vitrinas de cristal, como si fueran un arcoíris comestible, que ella estaba dispuesta a consumir en su totalidad.

De hecho, ese día se había llevado una bandejita para después de la cena. Como estaba triste, embarazada y sin Rafe, comería pasteles. Porque, francamente, una mujer debería tener amor y buen sexo o, en su defecto, comer pasteles.

Mientras se sentaba en el sofá y desenvolvía la bandeja reconoció que lo ideal sería gozar de las tres cosas.

Pero no era su caso, así que tendrían que ser los pasteles.

Suspiró. Se estaba llevando uno a la boca cuando se detuvo al sonar el telefonillo de la puerta. Se levantó, con otro suspiro, al tiempo que le caía azúcar en polvo en el vestido negro. Frunció el ceño y se lo sacudió sin resultado. El telefonillo volvió a sonar.

Se sobresaltó, por lo que se manchó aún más el vestido. Abandonó la pretensión de limpiárselo y se metió el pastel en la boca, lo cual creó una nubecilla blanca que volvió a caerle al vestido.

Se acercó a la puerta y pulsó el botón del intercomunicador.

—¿Sí?

—Charlotte, soy yo —dijo una voz que le resultó muy conocida.

—¿Qué haces aquí?

Esperaba que, antes o después, fuera a verla. Sabía que lo volvería a ver. Iban a compartir la custodia de los niños y era indudable que él la acompañaría a las citas con el ginecólogo; al menos, a las ecografías. Así que su presencia era algo inevitable a lo que tendría que enfrentarse. Sin embargo, no quería hacerlo cuando estaba cubierta de azúcar glas y agotada de trabajar.

Pero no tenía más remedio.

—Sube —apretó el botón para abrirle la puerta y fue corriendo al cuarto de baño a lavarse los dientes.

No estaría bien tener mal aliento al verlo por primera vez desde que la había vuelto a partir el corazón con tanta crueldad.

Regresó al salón, se miró el vestido y vio las manchas blancas. Comenzó a frotárselas y después recordó que él no las vería, así que dejó de hacerlo.

Llamaron suavemente a la puerta.

—Entra —dijo ella.

La puerta se abrió y, durante unos segundos, se quedaron el uno frente al otro, mirándose.

–Rafe –dijo ella, por fin, deseando no haber susurrado su nombre como si fuese una adolescente frente a una estrella del rock.

–Charlotte.

Había algo distinto en su expresión. Se dio cuenta de que la miraba, la miraba de verdad, como si… como si la viera.

–¿Rafe?

–Charlotte –repitió él–. Charlotte.

Se acercó a ella y la expresión de sus ojos se intensificó. La tomó en sus brazos y comenzó a besarla antes de que ella pudiera protestar, antes de que pudiera hacer o decir nada.

–Rafe –repitió su nombre como una estúpida, porque no sabía qué otra cosa decir.

–Charlotte, eres… eres hermosa.

Parecía hechizado y también destrozado. Pero lo más importante era que veía.

–¿Ves?

–Sí. Cuando me dejaste, me caí y me di un golpe en la cabeza. El médico cree que me he vuelto a lesionar de tal modo que el cerebro se ha recuperado de parte del daño anterior.

–Eso es… Rafe…

Él respiró hondo y se mesó el cabello.

–Fue hace una semana. Por eso te he estado evitando, porque sabía que si te veía, Charlotte… Ahora que te veo… –la agarró de la barbilla–. Esos ojos azules, justo como los recordaba; el cabello, aún más

hermoso; las mejillas sonrosadas, como los labios…
Charlotte, te quiero.

—¿Cómo?

—Te quiero. Y no he dejado de hacerlo todos estos
años. Podría darte numerosas razones para no haber
buscado una relación física con otra mujer, para no
querer estar con alguien a quien no veía. Mucha
gente hace el amor en la oscuridad, Charlotte, por lo
que, sinceramente, estar con una mujer siendo ciego
no hubiera sido tan terrible. Sin embargo, me buscaba excusas, porque no me imaginaba acariciar a
otra que no fueras tú ni entregarme a otra que no
fueras tú. Había encontrado a la única a quien mi
corazón amaba, por lo que cualquier otra cosa hubiera sido una farsa y habría deshonrado lo que tuvi-
mos.

A ella, el corazón le latía con tanta fuerza que no
podía respirar. Le temblaba todo el cuerpo y lloraba.
Era un milagro que Rafe estuviera allí, con ella. Y un
milagro aún mayor que viera, que la viera.

—Nunca he deseado a nadie más que a ti —dijo
ella—. Ni siquiera me lo he planteado.

—Me daba mucho miedo reconocer que te quería.
Y tu valentía me dio una lección de humildad. Una
parte de mí creía que no me lo merecía. Y tienes razón: teniendo en cuenta todo lo que has sufrido, tu
capacidad de amar es casi un milagro. Pero los milagros existen, Charlotte. A mí me ha sucedido uno,
porque te veo. Y veré a nuestros hijos si continúo
viendo, de lo que no tengo garantías. En cierto modo,
es inexplicable, por lo que no hay garantías. Como

sucede en el amor. La vida nos ofrece cosas maravillosas y frágiles que tal vez no podamos conservar. Pero prefiero arriesgarme. Prefiero pasar unos días felices, sin importarme la cantidad, a aislarme y seguir en la oscuridad. Quiero salir a la luz y quiero hacerlo contigo.

–Yo también. Quiero estar contigo. No sé qué mas quiero hacer con esta libertad que acabo de conseguir. Pero sé que deseo quererte. Es algo que siempre he sabido, desde que tenía dieciocho años y arriesgaba la vida por hacerlo. Fuiste mi primer sueño y lo sigues siendo. Siempre.

–Yo me había olvidado de los sueños. De niño aprendí que en la vida no había nada seguro. De joven, perdí a la única persona que me importaba: a ti. Desde entonces he vivido en la oscuridad, y eso no guarda relación alguna con mi vista. Pero tú, Charlotte, me has enseñado a soñar de nuevo, a querer de nuevo. Y no es la primera vez que lo haces. Me lo enseñaste cuando tenía veinticinco años y vuelves a hacerlo ahora, cuando tengo treinta. Me atrevería a decir que volverás a hacerlo cuando llegue a los cuarenta, los sesenta, los noventa… Para mí es una gran alegría aprender de ti y lo seguiré haciendo el resto de mi vida.

–Y para mí es una alegría enseñarte.

Él la abrazó y la besó. Y cuando levantó la cabeza la miró profundamente a los ojos y le dijo:

–Suéltate el cabello.

Epílogo

CHARLOTTE estaba agotada. Dar a luz no había sido fácil. El parto había durado horas y, al final, le habían hecho la cesárea, lo que a Rafe le había parecido una gran injusticia que había puesto a prueba su paciencia.

Querer a alguien suponía un tremendo riesgo. Y contemplar a su esposa luchando por traer a sus hijos al mundo había puesto a prueba su cordura.

Pero, ahora, Charlotte descansaba y los bebés estaban allí.

Un niño y una niña, lo más perfecto que Rafe había visto en su vida.

Y los veía.

Contempló sus caritas sonrosadas y arrugadas. Sostenía a uno en cada brazo, con el corazón lleno de orgullo y amor. Al mirar a Charlotte, que ya tenía los ojos cerrados y estaba a punto de dormirse, con el largo cabello dorado alrededor de los hombros, creyó que el corazón iba a estallarle.

Aquello era amor. Aquello era una familia.

El poder más verdadero y real del mundo era ese, no el dinero ni la posición social.

A Rafe Costa le había costado mucho aprenderlo. Pero, afortunadamente, lo había conseguido.

–Tengo un regalo para ti –dijo Charlotte con voz soñolienta.

–¿Para mí? No me parece justo. Has sido tú la que has hecho todo el trabajo.

–Bueno, es para ti y también para los niños. Están en mi bolso. Ábrelo y los verás.

Él, con el ceño fruncido, fue a por el bolso. Dentro había dos paquetitos envueltos en un sencillo papel.

–Desenvuélvelos –dijo ella.

Él lo hizo despacio y vislumbró algo azul al romper el papel. Era un pez de cristal. Y había otro igual en el otro paquete. Eran casi idénticos al que había roto su padre.

Sintió una opresión en el pecho que le impedía respirar.

–Charlotte…

–No podemos cambiar el pasado, Rafe, pero podemos construir el futuro. Eso nadie nos lo puede impedir.

–Creo que quedarán perfectos en la habitación de los niños –afirmó él mirándolos durante unos segundos, antes de dejarlos en un estante, ya adornado con flores que les habían mandado sus amigos.

–Estoy de acuerdo –miró a los niños–. Espero que les gusten.

–Si no les gustan, los puedo poner en el despacho.

–Me parece bien.

–¿Has pensado en cómo los vamos a llamar?

–¿A los peces o a los niños? –preguntó ella.

–A los niños –respondió él conteniendo la risa.

Los carnosos y rosados labios de Charlotte esbozaron una sonrisa.

–Lo he pensado.

–¿Y qué has pensado?

–Que los llamemos Adam y Philippa, en honor a tus buenos amigos que te aconsejaron que volvieras a mí o te sacaras los ojos.

–Buena idea –afirmo Rafe riéndose.

Pero era más que una idea. Su esposa se mantuvo firme, por lo que se llamaron Adam y Philippa, lo cual siempre fue motivo de bromas en las reuniones que celebraron a lo largo de los años, porque Adam y Belle y Felipe y Briar siguieron siendo buenos amigos de Rafe y Charlotte.

Y todos ellos fueron felices y comieron perdices.

DESEO

SARAH M. ANDERSON

NO DUDES DE MÍ

La abogada Rosebud Donnelly tenía un caso que ganar. Sin embargo, su primera reunión con Dan Armstrong no salió según lo planeado. Nadie la había avisado de que el director de operaciones de la compañía a la que se enfrentaba era tan… masculino. Desde sus ojos grises a las impecables botas, Dan era un vaquero muy atractivo. Pero ¿era sincero?

El deseo de Rosebud por el ejecutivo texano iba contra toda lógica, contra la lealtad familiar y contra todas sus creencias. Y, aun así, cuando Dan la abrazaba, Rosebud estaba dispuesta a arriesgarlo todo por besarlo otra vez.

SIGUE TUS SUEÑOS

El aristocrático abogado James Carlson estaba trabajando en el caso más importante de su vida. La victoria en aquel juicio sería el pistoletazo de salida a su carrera política. Nada, ni

Nº 420

mucho menos, nadie, le haría apartarse de su camino.

Hasta que conoció a su testigo, Maggie Eagle Heart, que hizo que se cuestionara todo: su familia, sus objetivos, su futuro. Era la mujer que deseaba, pero estaba fuera de su alcance. Sin embargo, y a pesar de sus esfuerzos por mantener una relación puramente profesional, la atracción entre ellos era innegable e irresistible.

James siempre había hecho lo que se esperaba de él… Hasta aquel momento.

Pasión y NEGOCIOS

Rachel Bailey
UN GRAN EQUIPO

*Dos bebés
y un escandaloso
secreto*

Pasión y NEGOCIOS

Rachel Bailey
UN GRAN EQUIPO

HARLEQUIN

N° 2

Descubrir que era padre de una niña recién nacida cuya madre había muerto a los pocos días de darle la vida había puesto patas arriba el mundo de Liam Hawke. Había sido una suerte dar con una niñera como Jenna Peters, que se había ganado a la pequeña desde el primer momento. De hecho, él mismo había caído pronto prisionero de sus encantos.

Jenna se esforzaba por mantener las distancias, pero estaba enamorándose de Liam. Y, cuando este descubriese que era una princesa, tendría que despedirse del sueño de la familia que habrían podido formar. ¡A menos que él le hiciese una proposición que no pudiese rechazar!

LIBRO DE AUTOR

ALLISON LEIGH Cuando Allison Leigh se enteró de que su primera novela había sido aceptada para su publicación, se cumplió el sueño de toda una vida. Ahora, su nombre aparece frecuentemente en las listas de *best sellers* y ha sido finalista de premios como el RITA. Pero cuando realmente disfruta de su profesión de escritor es cuando sus lectores le cuentan que ríen, lloran o se pierden una noche de sueño embebidos en la lectura de uno de sus libros.

Solo amigos

La productora de televisión Leandra Clay creía que Evan Taggart era exasperante. Sin embargo, Evan apareció en televisión y las mujeres de todo el país vieron a un hombre guapo, seguro de sí mismo y soltero. Y de pronto la pequeña ciudad en la que ambos habían vivido de niños se llenó de mujeres en busca de marido. Y llegó el momento de que Leandra le devolviera a Evan el favor que le había hecho saliendo en su programa; Evan exigía que fingiese ser su prometida...

Cambio de planes

Courtney Clay tenía veintiséis años y quería ser madre. Pero en Weaver, el pequeño pueblo donde vivía, no parecía haber muchos candidatos para llevar a cabo sus planes. Por eso pensó en recurrir al banco de esperma. Sin embargo, cuando, a raíz de un accidente, vio a Mason Hyde tumbado en una camilla y tuvo que cuidar de él, recordó la lejana noche apasionada que había pasado con aquel atractivo agente secreto que se había ido a la mañana siguiente, y sus viejos sueños revivieron...

No. 209

¡YA EN TU PUNTO DE VENTA!

Pasión y NEGOCIOS

Cat Schield

SABOR A TENTACIÓN

¿Estaba
incluido el amor
en el menú?

Nº I

A Harper Fontaine solo le interesaba una cosa en la vida:
dirigir el imperio hotelero de su familia, y no estaba dispuesta a que Ashton Croft, el famoso cocinero, estropeara
la inauguración del nuevo restaurante de su hotel de Las
Vegas. Conseguir que el aventurero cocinero cumpliera con
sus obligaciones ya era difícil, pero apagar la llama de la
incontrolable pasión que les consumía acabó resultando
imposible.

Aunque Ashton había recorrido todo el mundo, nunca
había conocido a una mujer tan deliciosa como Harper.
Y lo que sucedía en Las Vegas se quedaba en Las Vegas...